Juliette à Mexico

Catalogage avant publication de Bibliothèque et Archives nationales du Québec et Bibliothèque et Archives Canada

Titre: Juliette à ... / Rose-Line Brasset

Noms: Brasset, Rose-Line, 1961- auteur. | Brasset, Rose-Line, 1961- Juliette à Mexico

Description: Sommaire incomplet: 14. Juliette à Mexico.

Identifiants: Canadiana 20139424970 | ISBN 9782897815851 (vol. 14)

Classification: LCC PS8603.R368 J84 2014 | CDD jC843/.6—dc23

Les Éditions Hurtubise bénéficient du soutien financier du gouvernement du Québec par l'entremise du programme de crédit d'impôt pour l'édition de livres et de la Société de développement des entreprises culturelles du Québec (SODEC). L'éditeur remercie également le Conseil des arts du Canada de l'aide accordée à son programme de publication.

Financé par le gouvernement du Canada | Canadä

Illustrations de la couverture et intérieures: Géraldine Charette
Graphisme: René St-Amand
Mise en pages: Martel en-tête

Copyright © 2020, Éditions Hurtubise inc.

ISBN: 978-2-89781-585-1 (version imprimée)
ISBN: 978-2-89781-586-8 (version numérique PDF)
ISBN: 978-2-89781-587-5 (version numérique ePub)

Dépôt légal: 3ᵉ trimestre 2020

Bibliothèque et Archives nationales du Québec
Bibliothèque et Archives Canada

Diffusion-distribution au Canada:
Distribution HMH
1815, avenue De Lorimier
Montréal (Québec) H2K 3W6
www.distributionhmh.com

Diffusion-distribution en Europe:
Librairie du Québec/DNM
30, rue Gay-Lussac
75005 Paris FRANCE
www.librairieduquebec.fr

Imprimé au Canada
www.editionshurtubise.com

ROSE-LINE BRASSET

Juliette à Mexico

Hurtubise

Originaire d'Alma, **Rose-Line Brasset** est depuis longtemps journaliste et chroniqueuse lorsqu'elle fait paraître chez Hurtubise, au printemps 2014, le premier tome des aventures de Juliette, une jeune globe-trotteuse qui sillonne le monde au côté de sa mère, journaliste touristique. Le succès de *Juliette à New York* est instantané. Dès lors, l'auteure se consacrera presque uniquement à sa série fétiche, dont les tomes parus à ce jour se sont écoulés à plus de 600 000 exemplaires dans la francophonie. La série est également en traduction dans plusieurs autres langues. Elle-même grande voyageuse depuis l'adolescence, Rose-Line a su conjuguer avec brio son amour pour l'écriture et les voyages. Ses thèmes de prédilection sont les enjeux de société, la préservation de la nature et la complexité des relations humaines.

À toutes les petites Line

« En combattant pour les femmes, nous nous
battons pour l'humanité. Nous nous battons
pour l'avenir – pour tout le monde. »
Salma Hayek, actrice mexicano-américaine

« La curiosité, la compassion, la solidarité
et l'amitié me permettent de m'ouvrir,
de m'élever, de grandir. »
Juliette Bérubé, philosophe-globe-trotteuse

« La beauté et la laideur sont un miroir
car les autres finissent toujours par voir
notre intérieur. »
Frida Kahlo, peintre mexicaine

Dimanche 10 janvier

10 H

« Mesdames et messieurs, ici la commandante de bord. Nous traversons présentement une zone de sévères turbulences. Vous êtes priés de rester calmes, de garder votre ceinture bien bouclée et surtout de ne pas quitter votre siège. »

🙂 Une chose pareille t'est déjà arrivée ? Moi, c'est la première fois, et ce n'est pas drôle. Pas drôle du tout, même !

Nous sommes secoués comme de vulgaires pommes de terre au fond d'un camion. Autour de nous, plusieurs personnes crient d'effroi. La dame assise dans le siège devant le mien n'était vraisemblablement pas attachée puisque je l'ai vue être littéralement projetée vers le haut. Aïe ! Sa tête a violemment heurté le plafond.

Je suis tétanisée. Suis-je en train de vivre mes derniers moments ? Non. Bien sûr que non. Ça ne se peut pas ! (Tu as raison. Enfin, j'espère…) À ma droite, il y a ma mère qui, en silence, serre très fort ma main dans la sienne. Je pense : « Petite maman, je t'aime tant. » Je m'apprête à lui avouer que c'est moi qui ai cassé, puis fait disparaître sa théière préférée quand j'avais huit ans, lorsque, à ma gauche, une voix que je connais bien hurle à mon tympan :

—*OMG !* Jules ! Nous allons nous écraseeerrrr ! Ce maudit appareil ne va jamais supporter à la fois le poids de tous les passagers et ces terribles secousses. Je veux sortir d'iciii ! Je ne veux pas mourriiiir ! J'ai trop peeeur !!

Aïe, aïe, aïe ! Si j'ai appris quelque chose au fil de mes aventures, c'est que rien n'aggrave plus une situation déjà alarmante que de céder à la panique. Luttant contre mes propres frayeurs, je tente de me faire rassurante.

—Allons, allons, Gina, reprends-toi. Nous portons toutes les deux notre bracelet d'amitié porte-bonheur. Il ne peut donc rien nous arriver. Je te promets que personne ne va mourir ici aujour…

Oups, je suis malencontreusement interrompue par une nouvelle poche d'air.

— Aaahhh !

Gina et moi avons crié à l'unisson, cette fois. Mon cœur se serre dans ma poitrine et je sens la nausée m'envahir. Si ces secousses ne cessent pas bientôt, je vais me mettre à vomir.

10 H 15

La voix de la commandante résonne à nouveau :

« Mesdames et messieurs, c'est une tempête aussi violente que totalement inattendue qui est la cause des secousses que nous subissons en ce moment. Je suis au regret de vous annoncer qu'un de nos moteurs semble de surcroît en difficulté. Devant le sérieux de la situation, nous allons devoir dévier de notre trajectoire initiale pour tenter un atterrissage d'urgence. »

Tu ne rêves pas ! Quant à moi, je ne peux pas croire qu'il m'arrive ce qui est en train de m'arriver ! Le pire, c'est que tout est de ma faute ! ☹ Mais avant de continuer, permets-moi de revenir un tout petit peu en arrière, c'est-à-dire à la semaine dernière…

Dimanche 3 janvier

9 H

Janvier, le mois le plus froid de l'année. Assise à la table de la cuisine, je terminais mon petit-déjeuner en regardant distraitement le paysage lunaire par la fenêtre. À la radio, l'animateur annonçait que nous aurions encore de la neige. «Beaucoup, beaucoup de neige, avec une température maximale de -26 °C. » Voilà qui inciterait la plupart de mes amis à rester bien au chaud ! Mais alors, comment m'occuper ? Tablette à la main, je passais mollement en revue mon fil Instagram. Soupir. Parfois, l'hiver, il n'y a décidément rien à faire. Bien entendu, j'avais des tonnes de devoirs et de leçons en attente. En français, par exemple, madame Groult nous avait demandé de rédiger une dissertation sur le féminisme. Tu parles d'une affaire ! Ça mange quoi en hiver ? Plaaaate à mort comme sujet ! 😬

—Dis, maman, tu y connais quelque chose en féminisme?

Occupée à lire son journal de fin de semaine, elle n'avait pas tout de suite levé les yeux, n'émettant qu'un laconique:

—Évidemment.

—Et t'en penses quoi?

—Que c'est une nécessité. Pourquoi?

—Les sœurs Lirette disent que les féministes sont chiantes, inutiles et qu'elles n'ont pas de petit ami.

Elle a soupiré en redressant le menton.

—Je pense aussi que l'avènement du féminisme, au XXe siècle, a eu la même importance, pour l'avancement de l'humanité, que ce qu'avait auparavant représenté l'expansion des démocraties.

—Ouais, mais on est au XXIe siècle, maintenant. Et ici, fille ou garçon, tout le monde doit faire la vaisselle, alors à quoi bon?

—Malgré tout, pour des millions de fillettes à travers le monde, il n'y a toujours aucun espoir de justice sociale ou d'égalité des chances. Dans certains endroits, les femmes consacrent encore quatorze heures par jour à des travaux concernant la vie familiale, contre seulement deux pour les hommes. Ces femmes doivent s'occuper des enfants, des personnes âgées, cuisiner, nettoyer, aller chercher de l'eau ou du bois de chauffage et j'en passe. Et lorsqu'il s'agit d'un travail rémunéré, la situation n'est guère plus reluisante puisque, partout dans le monde, les femmes sont encore aujourd'hui généralement moins bien payées que les hommes, et que les femmes âgées sont souvent deux fois plus pauvres que les hommes âgés. Le féminisme sera d'actualité et continuera d'être essentiel à l'avancement de la société tant que les femmes, c'est-à-dire la moitié de l'humanité, n'auront pas l'égalité des droits partout sur notre planète. Voilà ce que j'en pense.

— Ah bon! Ce n'est donc pas le cas? ☹

Et puis là, elle s'est soudain animée pour de bon. Ça y était, j'avais appuyé sur le bouton qui démarre l'encyclopédie intérieure de ma très chère maman. Ce côté d'elle que je décrirais comme: « Je sais tout et je le partage avec ma fille, qu'elle le veuille ou non. »

— Par exemple, savais-tu que dans la Grèce antique où est née la démocratie, les femmes n'avaient pas le droit de vote? Il a fallu attendre le XXe siècle avant que la plupart des États le leur accordent! Ici, les Québécoises ne l'ont obtenu qu'en 1940 et les Françaises, en 1944.

— Ben, voyons donc!

— Cent trente millions de fillettes à travers le monde ne sont toujours pas scolarisées tandis que, pour la majorité d'entre eux, leurs petits frères le sont.

— Tu me niaises ?

— Pas du tout. Dans des endroits comme la Guinée, le Mali, l'Afghanistan, le Tchad ou le Niger, l'accès à l'école leur est très difficile. Sais-tu encore que la Convention sur l'élimination de toutes les formes de discrimination à l'égard des femmes, adoptée par l'Assemblée générale des Nations unies et entrée en vigueur en 1981, n'a alors été ratifiée que par vingt pays, excluant les États-Unis ?

— Tu rigoles !

— Je n'ai pas du tout envie de rigoler, je t'assure. Les États-Unis l'ont signée, mais ne l'ont jamais ratifiée[1]. C'est quand même incroyable, non ? Le fait est que plusieurs des pays signataires continuent d'émettre des réserves quant à son utilité ou à sa nécessité. À croire qu'ils sont aveugles où ont intérêt à l'être.

— C'est malade !

— Je suis d'accord, et le mot est faible, ma chère enfant.

---

1. Confirmer, reconnaître comme valide.

— Heureusement que tout est différent chez nous.

— Tu crois ? Parles-en à ta grand-mère. Il lui a fallu attendre jusqu'en 1964 avant qu'une loi abolisse enfin le devoir d'obéissance de la femme à son mari et accorde à la femme mariée le droit de toucher elle-même son salaire, sans la permission de son époux.

— Tu veux dire qu'avant 1964 le salaire de grand-maman était versé à grand-papa ? 😕

— Absolument. Et c'est depuis 1964 seulement qu'on accorde aux femmes mariées le droit d'ouvrir un compte en banque, tandis que c'est en 1975 que la Charte québécoise des droits et libertés de la personne a reconnu officiellement l'égalité entre l'épouse et l'époux. Enfin, plus de vingt ans après l'adoption de la loi sur l'équité salariale entre les hommes et les femmes au Québec, des inégalités persistent entre les hommes et les femmes occupant des emplois comparables. C'est tout de même ahurissant !

— J'ai du mal à imaginer que ce soit vrai !

— Et pourtant... Alors, les sœurs Lirette, à mon avis, elles vivent au pays des licornes.

Son exposé terminé, elle a baissé la tête et s'est tout bonnement remise à la lecture de son journal, sans plus s'occuper de ma présence.

(et dix pages de notes fébriles pour étayer mon devoir sur le féminisme plus tard...)

La neige tombait maintenant à gros flocons. On en prévoyait trente-cinq centimètres, finalement. Le vent sifflait à travers la fenêtre de la cuisine. Brrr !

Ce sera la première véritable tempête hivernale de la saison et, comme chez nous l'inégalité n'existe pas, je vais devoir aider ma mère à pelleter... ☺

—Dis, maman, Gina et sa mère partent quelques jours au Mexique pour fuir l'hiver. Que dirais-tu de les accompagner ?

—Certainement pas !

—Pourquoi ?

—Parce que ce type de vacances coûte une fortune pour une toute petite semaine de rien du tout. C'est de l'argent gaspillé. On n'en a ni l'envie ni les moyens, crois-moi. De plus, c'est la saison des tempêtes. On s'est déjà assez mis les pieds dans le plat comme ça cette année sans en rajouter.

—Pour les pieds dans le plat, parle pour toi, très chère mère. Pour ce qui est de la saison des tempêtes, la mère de Gina dit que le pire qui puisse arriver, c'est que notre vol soit légèrement retardé ou annulé et que, dans ce cas, l'agence de voyages se fera un plaisir de nous rembourser.

—Ça ne règle pas la question du financement.

—Ginette met chaque année les vacances d'hiver sur sa carte de crédit. Elle dit que ça lui donne douze mois pour rembourser. On pourrait en faire autant. Je suis persuadée qu'une toute petite semaine de vacances te ferait autant de bien qu'à moi. Tu as l'air un peu déprimée en ce moment.

Ma mère n'a pas répondu et s'est contentée de fixer les flocons de plus en plus abondants qui s'écrasaient sur les carreaux.

15 H

En soufflant comme des phoques sur une banquise, nous pelletions depuis près d'une heure, déjà. Il en était tombé en titi de la neige ! La visibilité était nulle et nos pelles étaient looouuurdes. J'avais les orteils et les doigts gelés. Je n'ai donc pas été fâchée lorsque maman m'a enfin invitée à rentrer pour nous réchauffer. J'ai retiré mes bottes et mes mitaines trempées, salivant déjà à la perspective du chocolat chaud à la guimauve qu'elle allait très certainement me préparer.

Elle paraissait exténuée.

—Satané hiver québécois... l'ai-je entendue grommeler.

—Quelque chose ne va pas, m'man ? Si tu veux, j'y retourne avec toi après un chocolat chaud. La neige va continuer de tomber toute la soirée.

—Je n'en peux plus et on n'en est qu'à la moitié... Je déteste le mois de janvier !

Voilà ma chance, ai-je pensé. Autant battre le fer pendant qu'il est chaud, dit l'adage. ☺

—C'est sûr que si on partait pour une toute petite semaine plus au sud, ça couperait l'hiver en deux, ai-je innocemment avancé.

À l'expression de son visage, j'ai soudain cru que je venais d'atteindre ma cible.

—Elles partent quand, Gina et sa mère ?

—La semaine prochaine.

—Hum, elles en ont de la chance...

Sans rien ajouter, elle a tourné les talons et est allée s'enfermer dans son bureau. Apparemment, je m'étais fourré le doigt dans l'œil. Je suis donc allée dans la cuisine pour le préparer moi-même, ce chocolat chaud. ☹

Dimanche 10 janvier

La journée s'annonçait exceptionnelle. Nous avions quitté Québec à quatre heures trente du matin. Je n'avais même pas rechigné devant l'heure matinale, trop heureuse de quitter la neige et le pelletage pour une semaine entière. À nous le soleil, la mer, le bronzage d'enfer et le plaisir de ne rien faire ! Nous allions lézarder sur la plage toute la journée, boire des *piña coladas* sans alcool et nous goinfrer de tacos et autres délices culinaires dont le Mexique a le secret.

Mine de rien, le cauchemar a commencé par un classique signal lumineux, demandant aux passagers de boucler leurs ceintures de sécurité. L'appareil, un Boeing B747-400, survolait alors le continent, quelque part entre le Texas et Puerto Vallarta. La première alerte a eu lieu à dix heures. Ensuite, les choses sont allées de mal en pis.

« Mesdames et messieurs, c'est une tempête aussi violente que totalement inattendue qui est la cause des secousses que nous subissons en ce moment. Je suis au regret de vous annoncer qu'un de nos moteurs semble de surcroît en difficulté. Devant le sérieux de la situation, nous allons devoir dévier de notre trajectoire initiale pour tenter un atterrissage d'urgence. »

Que peut-elle vouloir dire exactement par « TENTER un atterrissage d'urgence » ? On atterrit ou pas ? ☺ Et on atterrit OÙ, si on dévie de notre « trajectoire initiale » ? De petites trappes s'ouvrent au-dessus de nos têtes, faisant tomber des masques à oxygène jaune citron. Dans un bourdonnement de pleurs et de lamentations, les adultes ajustent leur propre masque avant d'aider les enfants et les personnes âgées à le faire, comme le veut la consigne. Étant donné que j'ai treize ans, bientôt quatorze, j'ajuste moi-même le mien. Puis un silence de mort s'abat sur la cabine, rompu seulement par de pudiques murmures. Comme si la perspective d'être en train de vivre ses derniers moments faisait ressentir à tous le besoin de se recueillir. Çà et là, je crois reconnaître des prières, mais aussi, et surtout, des mots d'amour.

Ce qui devait être un banal vol de six heures trente est en train de tourner au cauchemar. Si je n'avais pas fait pression sur ma mère pour la convaincre d'accompagner Gina et Ginette en vacances, on n'en serait pas là. Si je meurs, je ne me le pardonnerai jamais. (Oui, d'accord, si je suis morte, il n'y aura plus rien à pardonner, mais bon... 😊 Tu comprends ce que je veux dire, non?)

Ma mère a cédé à mon désir. Elle ne me refuse jamais rien. C'est bien le pire! (Soupir.) Et moi qui rêvais de devenir une grande exploratrice de l'espace après ma carrière de globe-trotteuse, comme l'astronaute David Saint-Jacques, ou de recevoir le prix Nobel de chimie, comme Marie Curie, voire de devenir une écrivaine internationalement connue, comme Margaret Atwood, ou d'inventer un truc aussi fantastique que le Wi-Fi (que l'on doit à Hedy Lamarr, une actrice de cinéma des années 1930. Tu le savais?).

—Pitchounette, il faut que je te dise quelque chose, murmure ma mère à travers son masque avant d'essayer de m'embrasser le front, le nez, les paupières, les oreilles et même les mains. Je t'aime très fort, tu sais, plus fort que tout. Et si je n'ai pas toujours été la mère de tes rêves, je te demande pardon, mais ce n'est pas faute d'avoir essayé et de t'avoir aimée de toutes mes forces!

· Ça y est, j'ai toute la misère du monde à me retenir de pleurer.

— Moi aussi, ma maman chérie, je t'aimmmme!

J'ai la gorge trop serrée pour ajouter quoi que ce soit. Et puis, au fond, que dire de plus? Tout autre discours me semble terriblement superflu. À moins que je n'ajoute une dernière volonté? Si elle devait me survivre, aimerais-je qu'elle fasse un message à Gino de ma part? Peut-être bien, oui. Euh! Qu'elle lui dise que... que... Que pourrais-je bien lui donner comme message pour mon Gino? T'as une idée? En tout cas, je voudrais lui léguer ma collection de posters de vedettes de cinéma, ça c'est sûr.

J'allais en informer ma mère lorsqu'une voix aiguë venue du bout de la rangée, à gauche, et couvrant toutes les autres voix, se fait entendre.

— Nous allons nous écraser dans la mer et je ne sais pas nager, clame la mère de Gina, en pleine crise de nerfs. Où sont nos gilets de sauvetage? J'exige un gilet de sauvetage! Je refuse de mourir noyée. Mademoiselle! hurle-t-elle en se tournant en direction des sièges où ont pris place les agents de bord en prévision de l'atterrissage d'urgence.

— Ils sont sous nos sièges, m'man, mais je ne crois pas que...

— Aidez-moi!! coupe Ginette.

— C'est qu'on n'est pas au-dessus de la mer, mais plutôt au-dessus de la Sierra Madre. Tu vois? C'est une chaîne de montagnes mexicaines. Oh et puis… bof!

Les larmes aux yeux, mon amie se détourne de sa mère et me prend la main. Je la serre si fort que mes jointures en blanchissent.

— Je t'aime, Gina, murmuré-je.

— Je t'aime, Jules. À la vie à la mort?

— À la vie à la mort!

Ginette, qui a fini par mettre la main sur son gilet, est maintenant occupée à essayer de le gonfler tout en soufflant dans les bouts de tuyaux comme une désespérée. Certains voyageurs l'ont d'ailleurs imitée.

Lorsque la commandante de bord annonce qu'elle amorce la descente vers l'aéroport international Benito-Juárez de Mexico, nous avons soudain l'impression que l'avion est plutôt en chute libre. La sensation est horrible. La peur me noue l'estomac et me rend muette. Elle produit cependant l'effet contraire chez mon amie, qui devient très volubile.

— Il faut que je t'avoue quelque chose, dit-elle. Je ne veux pas mourir avec ce secret.

Prenant mon silence pour un encouragement, elle poursuit:

— Gino et moi, on s'est embrassés, une fois.

— Que-QUOIII ! ☺ ☺ ☺

(Je ne peux pas croire que je viens d'entendre ce que tu viens de lire!) Bouche bée, je la regarde sans pouvoir ajouter quoi que ce soit, les sourcils en accents circonflexes. Gina et Gino sont mes deux meilleurs amis au monde, mais entre Gino et moi, il y a comme un petit plus qu'avec Gina. (Bien qu'on dise généralement de ce genre de relation qu'il s'agit d'un « petit » ami. Bref, passons. ☺)

— Mais c'était bien avant que vous ne vous rapprochiez autant, tu t'en doutes! s'empresse-t-elle d'ajouter en voyant ma tête.

Tandis que l'appareil continue de plonger, elle persiste à parler, apparemment incapable de stopper son espèce de diarrhée verbale. Mais je ne l'écoute plus. Les yeux fermés, je tente maintenant d'identifier les sentiments contradic-toires qui m'assaillent. Suis-je terrorisée? Triste? Désespérée? Déçue? Non. Plutôt en colère, me semble-t-il! Comme lorsqu'on me marche sur les pieds. Oui. Ou plutôt comme un volcan dont la lave menacerait de déborder.

Le bruit à l'intérieur de la cabine est infernal. Plusieurs passagers ne peuvent s'empêcher de hurler de frayeur tandis que le train d'atterris-sage s'extirpe du fuselage avec fracas. L'appareil tremble autant que si nous avions dépassé la vitesse du son. Les tympans me font un mal de chien, mon cœur bat la chamade et mon esprit s'embrouille. Vraiment moche comme fin, me dis-je. Papa[1], me voilà !

Puis le crissement des roues sur la piste d'atterrissage se fait assourdissant, et après plusieurs soubresauts, tandis que les freins sont mis à rude épreuve, l'avion s'immobilise. Enfin ! Une odeur de caoutchouc brûlé envahit mes narines tandis que des applaudissements retentissent. Nous sommes en vie ! Vive la commandante Vaillancourt ! Les yeux toujours fermés, je fais mentalement l'inventaire des différentes parties de mon corps. Je n'ai mal nulle part et aucun de mes os ne semble brisé. C'est à ce moment précis que je réalise que, en revanche, j'ai perdu ma meilleure amie. ☹

10 H 30

Sur la piste d'atterrissage, c'est le branle-bas de combat. Des sirènes se font entendre et, à travers les hublots, nous ne tardons pas à voir arriver des camions de pompiers et des ambulances. Les agents

---

1. Pour en savoir plus sur mon papa, il faut lire *Juliette à San Francisco*.

de bord nous pressent de quitter l'appareil. Comme dans les films, toutes les sorties de secours sont ouvertes et les glissières d'évacuation pneumatique d'urgence sont déployées en lieu et place des habituels transbordeurs ou escaliers d'accès. J'ai toujours rêvé de sortir d'un avion en glissant sur ces espèces de toboggans jaunes! ☺ Bizarrement, je n'en éprouve pourtant aucune joie aujourd'hui... ☹

Une fois sur le tarmac, les quelques personnes blessées (la plupart parce que leurs ceintures de sécurité n'étaient pas bien attachées) sont examinées, triées, puis embarquées dans des véhicules d'urgence. Les autres, dont notre petit groupe de quatre, sont dirigés vers un bâtiment où des bénévoles de la Croix-Rouge et des responsables de la compagnie aérienne nous attendent avec du café et des biscuits.

Là, c'est un peu la pagaille. On nous explique qu'il n'y aura malheureusement pas d'appareil disponible pour nous emmener vers Puerto Vallarta avant deux longs jours, parce que la compagnie ne vole au Mexique que les dimanches, mardis et jeudis. Il y a de l'incompréhension, des larmes, du mécontentement, des vociférations. Certains voyageurs s'insurgent contre ce qu'ils interprètent comme de la mauvaise volonté et se fâchent. D'autres semblent plutôt soulagés, traumatisés qu'ils sont par notre éprouvante expérience. Enfin, plusieurs de nos compagnons d'infortune laissent entendre qu'ils préféreraient rentrer carrément à Québec aujourd'hui même. Pour ma part, j'avoue que je suis soulagée à l'idée de ne pas reprendre l'avion pendant quelques jours. C'est bien beau l'euphorie procurée par la sensation d'avoir des ailes, mais j'en ai assez profité aujourd'hui... 😵

Ginette proteste vivement en disant qu'elle a payé pour un voyage d'une semaine à Puerto Vallarta et qu'elle exige de dormir à Puerto Vallarta, ce soir. Le porte-parole d'Air Tralala lui répond poliment qu'il n'en tient qu'à elle de réserver un vol avec une autre compagnie aérienne. À ses frais. Elle se met alors à hurler que le service est « infect » et qu'elle ne se gênera pas pour alerter les médias.

Si ce n'était de ma colère, j'aurais presque pitié de Gina qui doit endurer pareille saute d'humeur de sa mère alors qu'elle est très certainement elle-même toute chamboulée. Maman ne dit rien et se contente de m'adresser un sourire las en me prenant par les épaules.

Faisant contre mauvaise fortune bon cœur, nous tendons la main pour recevoir les coupons qui nous permettront d'être logées et nourries gratuitement jusqu'à mardi matin. Une fois nos bagages récupérés, on nous dirige vers le bus qui doit nous emmener. Ginette finit par comprendre qu'elle n'a pas d'autre choix que de faire de même. Le visage long comme un jour de pluie, elle nous emboîte le pas jusqu'à l'autobus qui nous déposera à la destination finale de cette pénible journée qui semble ne jamais devoir se terminer…

— Tu crois qu'il y aura une piscine à notre hôtel ? me demande Gina.

— Franchement, ma chère, je m'en fous[2] !

10 H 50

À bord du bus, je fais sciemment le choix de m'asseoir à côté de ma mère, dans une rangée de deux. À mon grand dépit, Gina s'installe juste derrière moi et profite de ce que maman est aux toilettes pour grimper sur son siège et m'interpeller :

— Tu ne vas tout de même pas me faire cette tête d'enterrement pendant tout le voyage ?

— Et pourquoi pas ? réponds-je sèchement.

— Puisque je te dis que ça s'est passé bien avant que Gino et toi ne commenciez à vous rapprocher !

2. Réplique inspirée de la très célèbre phrase prononcée par Rhett Butler dans le film *Autant en emporte le vent*, tiré du roman de Margaret Mitchell : « *Frankly, my dear, I don't give a damn.* »

—Tu savais pourtant que j'avais un œil sur lui, non? Il m'intéresse depuis les tout débuts de notre secondaire un. Ce n'est pas à toi que je vais apprendre ça.

—Mais ne vois-tu pas que tout cela n'a plus aucune importance aujourd'hui?

—Aucune importance pour toi, peut-être bien. Que fais-tu de mes sentiments à moi?

—Écoute, je m'excuse. Vraiment.

Cette façon qu'ont les gens de s'excuser eux-mêmes plutôt que de demander pardon m'a toujours tapé sur les nerfs! 😖

—Je crois qu'il vaut mieux en rester là, Gina. Je suis d'accord pour ne pas gâcher notre voyage autant que possible, mais pour ce qui est de notre amitié, j'avoue que je ne suis pas certaine d'arriver un jour à te pardonner.

—Mais si nous ne nous étions pas retrouvées dans cette situation dramatique ce matin, tu n'en aurais jamais rien su et notre amitié serait intacte!

—Ben justement, je commence à me demander si nous avons un jour été réellement amies.

Consternée, elle baisse la tête et se rassied, ne sachant apparemment pas quoi répondre. Je la sens si triste tout à coup que j'ai envie de lui dire d'oublier ça, que tout est comme avant entre elle et moi, et que je ne veux pas laisser une histoire de garçon brouiller une amitié qui m'était tellement précieuse jusqu'à présent. Mais je n'en trouve pas la force. Comme si la mesquinerie était plus facile à choisir que la générosité.

Et puis, c'est à elle de se battre pour notre réconciliation, non? (T'en penses quoi, toi? Bon, bon, bon. Je veux bien me montrer moins rude avec elle puisque j'admets qu'il y a quelque chose de follement injuste dans les conséquences de cette mauzusse de matinée maudite. Mais pour ce qui est d'oublier l'incident... Eh bien, on verra! Disons que je ne suis pas encore prête. Émotionnellement, c'est trop me demander, pour le moment.)

Tentaculaire, la *ciudad*[3] de Mexico s'étend de part et d'autre d'une énorme cuvette, un ancien lac asséché, entouré de massifs volcaniques. Le ciel est nuageux. Maman m'explique que ce ne sont pas tant des nuages que de la pollution, et que la capitale du Mexique est une mégapole aussi surpeuplée qu'elle est immense. Le nez collé à la fenêtre de l'autobus, j'observe avec fascination, sur des dizaines de kilomètres, se succéder les maisons basses, recouvertes de crépi, puis des bâtiments en pierre de style vieillot de trois à cinq étages, avec des balcons en fer forgé et des toits en tuile. Ensuite,

---

3. Le terme *ciudad* veut dire « ville » en espagnol.

il y a encore des maisons, mais cette fois-ci, elles sont toutes roses, avec des teintes allant du vif au pâle, jusqu'à l'orangé. On se croirait en Europe. ☹

En raison de l'intensité du trafic, nous mettons près d'une heure à atteindre notre destination. Il n'est cependant que onze heures onze lorsque l'autobus s'arrête. J'adore ce genre de bizarrerie causée par le décalage horaire. Dans ce cas-ci, il est une heure plus tôt à Mexico qu'à Québec.

11 H 11

(Fais un vœu ! J'en ai fait un. ☺)

L'hôtel où nous logerons s'appelle le Gran Casino Hotel. « Un très bon établissement », a annoncé notre chauffeur.

— S'il s'agit de celui auquel je pense, j'ai peine à croire à notre chance, commente maman.

— Pourquoi donc ?

— Parce qu'il est célèbre. Je l'ai vu dans plusieurs films tournés à Mexico et il est magnifique !

Nous descendons Plaza de la Constitución[4], une grande place située en plein centre historique de la ville.

---

4. Place de la Constitution.

—Il s'agit de l'une des plus grandes places publiques qui soient au monde. On l'appelle le plus souvent le Zócalo[5], tout simplement, précise maman.

Pendant le trajet, elle m'a raconté que la ville avait été entièrement construite sur des marécages, vestiges de l'ancien lac, et que le centre était une île flottante. Trop étrange, non? Il y avait aussi plusieurs îlots, paraît-il, mais c'est sur l'île principale que s'élevait la capitale aztèque de Tenochtitlán, totalement rasée par l'armée d'Hernán Cortés, lors de la conquête espagnole, au XVIe siècle[6].

Ça c'est très fâcheux, parce que j'aurais bien aimé pouvoir l'admirer, moi, cette fameuse cité aztèque. ☺

—La grande place se trouve à l'endroit précis où était situé le centre de la cité ancienne, ajoute ma journaliste de mère.

Je ne peux m'empêcher d'être saisie par le gigantisme ambiant. Qu'il s'agisse de la taille du

---

5. En espagnol, *zócalo* signifie « place principale ».
6. T'as entendu parler de ça? Cette fameuse conquête espagnole explique notamment pourquoi on parle aujourd'hui l'espagnol à travers presque toute l'Amérique latine, du Mexique à l'Argentine, à l'exception du Brésil, où l'on parle le portugais.

Zócalo ou de celle des bâtiments qui l'entourent. Wow! Et puis, ça grouille de monde par ici. Je ne voudrais pas me perdre dans cette foule!

Maman me pointe du doigt, juste en face, le Palacio Nacional, c'est-à-dire un palais tout rose abritant le siège du gouvernement fédéral et les bureaux du président du Mexique. Quel gaspillage pour un palais de ne servir qu'à accueillir des membres du gouvernement! ☹

Ensuite, elle attire mon attention sur une immense église vers la gauche, la Catedral Metropolitana.

— C'est le plus grand édifice religieux de toute l'Amérique latine, dit-elle.

— Ah ben, ça alors! s'exclame platement Gina en me rejoignant. Y'a un million de personnes dans le coin, minimum!

Je ne daigne pas répondre. Je ne suis pas aveugle, pensé-je. Et puis, il faut toujours qu'elle exagère. Elle m'énerve à la fin! ☺

Contre toute attente, elle me donne une bourrade.

— Allez, cesse de bouder, Jules. Tu te comportes en bébé. Ce n'est pas digne de toi!

☺

Je ne peux pas croire que je viens d'entendre ce que j'ai entendu! (Et toi?)

Je la regarde comme si je la voyais pour la première fois avant de riposter avec violence :

— Bébé toi-même ! Laisse-moi donc tranquille, Gina Tremblay ! Je te DÉTESTE de toute façon !

Ma réponse lui cloue le bec. Rouge de confusion, elle se détourne sans demander son reste.

Grrr ! COMMENT ai-je pu un jour considérer cette fille comme ma meilleure amie ? Je suis furieuse. Littéralement hors de moi ! ☹

Mon regard s'arrête sur le bracelet d'amitié qu'elle m'a offert, il y a plus d'un an. Nous les avons échangés lorsque nous sommes devenues inséparables. C'était en première secondaire. Nous avions manqué les cours ensemble après un exercice d'incendie. C'était la fin du mois de mai et les premiers beaux jours étaient arrivés. D'un seul regard de connivence, nous étions tombées d'accord pour ne pas revenir dans l'école après l'exercice qui avait eu lieu lors de la dernière période de la journée. Nous étions plutôt allées flâner dans la rue Cartier. Il y a là une petite boutique où l'on vend des pierres et des cristaux pour trois fois rien. J'étais tombée en amour avec un bracelet fait de perles bleu azur en lapis-lazuli. Quant à Gina, elle se pâmait pour un bijou similaire, mais en quartz rose.

La vendeuse nous avait dit que le lapis-lazuli stimule la créativité et contribue à l'évolution de l'esprit en rendant notre pensée plus claire. Quant au quartz rose, il s'agit d'une pierre calmante. Elle est apparemment associée au chakra du cœur et symbolise l'amour au sens large, celui pour soi et pour les autres.

J'avais donc acheté le bracelet de quartz pour l'offrir à mon amie et elle m'avait offert le bleu. Nous nous étions promis de ne jamais nous en séparer étant donné qu'ils représentaient notre amitié. Nous les considérions aussi comme des porte-bonheur.

Pour l'heure, le poids du bijou m'insupporte. Je ne veux plus le voir ! D'un geste rageur, je l'enlève et le jette sur la chaussée, profitant de ce que Gina a le dos tourné. Sans la moindre émotion, je le vois disparaître sous les roues du bus.

Voilà. Une bonne chose de faite ! ☺

11 H 15

Revenons-en donc à l'hôtel. Tout d'abord, je dois dire que la façade est fantastique. Ça a l'air d'être la grande classe, effectivement. Il y a même un jeune et souriant portier en uniforme !

Sur le trottoir, près de l'entrée, je remarque une famille aux vêtements dépenaillés qui semble attendre je ne sais quoi. Une maman porte un bébé fille dans son dos. À côté d'elle, il y a une fillette âgée d'environ huit ans et un petit garçon qui doit avoir autour de quatre ans. L'aînée me regarde avec intensité. Elle est vêtue d'une espèce de tunique qui lui arrive au-dessus du genou, d'un châle et d'espadrilles avec une semelle de corde. Son frère porte un petit poncho et un pantalon blanc, sale et usé. Il est pieds nus. Je remarque qu'ils sont tous les trois très beaux. Ils ont des yeux noirs leur mangeant la figure, un teint cuivré, des lèvres bien dessinées et une épaisse tignasse foncée. Pas de traces d'un papa. La maman, d'une grande beauté également, semble très jeune. Son expression reflète tout à la fois la misère et la dignité, l'épuisement et la résignation. Me sentant soudain mal à l'aise, je me détourne et me précipite vers la grande porte que tient ouverte l'élégant jeune portier.

—*Bienvenido al Gran Casino Hotel, señorita*[7], me dit-il en souriant de toutes ses dents.

***

J'ai littéralement le souffle coupé en découvrant l'intérieur. JAMAIS je n'ai même osé rêver d'un aussi bel endroit! C'est... c'est... ☺

---

7. — Bienvenue au *Gran Casino Hotel,* mademoiselle.

— Grandiose ! dit Gina.

Ignorant cette dernière, je me tourne vers ma mère.

— C'est un hôtel ou une extension du palais présidentiel ? T'es certaine qu'il n'y a pas une erreur ?

Les yeux ronds comme des soucoupes, elle est bouche bée. Je lui donne donc un léger coup de coude, histoire de lui éviter d'avaler une mouche.

— En tout cas, elle ne se moque pas de nous, la compagnie aérienne, hein ? en rajoute Gina.

— Elle a sans doute eu peur des poursuites, réussit finalement à articuler ma mère.

— En tout cas, moi, ça ne m'empêchera pas de les poursuivre, réplique Ginette, alors que nous avons toutes les yeux fixés sur le plus grand lustre de cristal qu'il nous ait été donné d'admirer.

Le hall d'entrée de style Art nouveau[8] est aménagé comme une cour intérieure et coiffé d'un dôme. Une éblouissante verrière laisse passer la lumière. Il y a du velours et des dorures partout, y compris sur les ornements du majestueux escalier

---

8. L'Art nouveau est un mouvement artistique et esthétique développé dans les domaines de l'architecture et du design notamment, à partir de la fin du XIXe siècle jusqu'au début du XXe, et qui privilégiait les lignes courbes, imitant la nature.

qui rappelle celui du *Titanic*. Sur les quatre étages, l'accès aux chambres se fait par une succession de mezzanines dont les rambardes sont ornées de fer délicatement forgé, tandis qu'au fond du hall, l'ascenseur panoramique, en fer forgé également, vole littéralement la vedette. Pas la moindre trace de casino, étrangement. Bizarre. ☺ En revanche, j'ai l'impression que nous avons été catapultées dans un film d'époque et je m'attends presque à voir des hommes en redingote défiler dans le hall et des dames en robe à crinoline descendre l'escalier monumental en maniant habilement un éventail ou une ombrelle.

Une fois les clefs de chambres distribuées, nous nous dirigeons en troupeau vers l'ascenseur avec nos bagages. Je suis très excitée. L'aventure semble vouloir prendre une tournure intéressante !

— On est à quel étage, m'man ?

Elle me montre le porte-clefs à l'ancienne.

— *Recámara*[9] 414. J'imagine que c'est au quatrième étage.

— Nous sommes au troisième, *recámara* 316, m'informe Gina.

---

9. Chambre. Les mots *habitación* et *cuarto* sont aussi fréquemment employés.

(Je ne lui ai pourtant rien demandé, tu l'auras remarqué. 😒)

—Il n'y a malheureusement pas de piscine, les filles, déplore ma mère. Je suis désolée.

—Ouais, ben, j'espère surtout qu'il y aura de l'eau chaude et qu'on pourra se faire monter de la Corona et une pizza parce que je suis crevée, commente Ginette, toujours aussi mécontente.

Maman et moi échangeons un regard entendu. De la bière à l'heure du lunch? Beurk!! 🤢

L'ascenseur s'arrête aux premier et deuxième étages, pour laisser descendre un premier groupe de gens, puis au troisième où descendent nos deux compagnes.

—On se voit plus tard? fait Gina en se tournant vers moi avant de sortir.

—On verra, réponds-je, en baissant les yeux pour ne pas soutenir son regard.

—À tout à l'heure alors, rétorque-t-elle en suivant sa mère dans le couloir.

Voilà qu'elle arbore un air de chien battu. Elle veut se faire prendre en pitié. Comme si c'était moi qui avais embrassé son petit ami! (Quoiiii? Grrr! Je déteste quand on essaie de me faire culpabiliser alors que RIEN n'est de ma faute! 😊)

Notre chambre n'est pas très grande, mais elle est superbe! Le plafond est très haut, il y a des moulures partout et le mobilier rappelle celui qui devait se trouver dans les châteaux de l'époque de la construction du bâtiment. (Le lit à baldaquin est si ÉNORME que je risque d'y perdre ma mère.) Clou du spectacle, une magnifique porte-fenêtre s'ouvre sur un garde-corps en fer forgé et offre une vue imprenable sur le Zócalo. Wow! ☺ Trop cool!

— Tu veux te reposer? demande maman. Allonge-toi pendant que je vais prendre une douche.

Wô minute! Je suis bien trop excitée pour faire la sieste! Je me penche plutôt à la fenêtre pour observer le va-et-vient sur la grande place. La famille que j'ai vue tout à l'heure semble avoir disparu. Ils sont sûrement autochtones. Je sais que les premiers habitants du Mexique n'étaient pas des Espagnols, mais plutôt des « Indiens » que l'on croit venus jusqu'ici en passant par le détroit de Béring durant l'ère glaciaire, comme c'est aussi le cas des Premières Nations du Canada. Ils m'ont semblé si pauvres, c'est triste. Je me demande à quoi peut ressembler leur vie. De quoi a l'air leur maison, s'ils en ont une. Cette petite fille fréquente-t-elle l'école ?

Portant mon regard plus loin, j'aperçois un groupe d'ados. Seulement des garçons. Ils sont habillés comme la plupart de mes camarades de classe, c'est-à-dire en jeans et t-shirts avec une casquette vissée sur le crâne. Je me demande ce qu'ils fabriquent. Ils ont des planches à roulettes, je crois. Cool ! Au diable Gino ! Des gars comme lui, il y en a probablement plein les rues de Mexico.

La voix de ma mère vient interrompre le cours de mes pensées.

— C'est ton tour, dit-elle, en séchant ses cheveux mouillés avec une serviette.

— Je préférerais sortir pour découvrir les environs. On n'est ici que pour deux jours, après tout ! Tu veux bien ?

— Je pense comme toi, répond-elle, plongeant déjà le nez dans les pages de son guide touristique. À quelques pas d'ici, dans l'édifice du Palacio Nacional, il y a quelque chose que je veux absolument voir. Et plus loin, toujours sur la place, il y a aussi les restes d'une pyramide aztèque détruite par Cortés et ses compagnons.

— Hum, je me méfie un peu de tes goûts en matière de visites. Tu as quelque chose d'autre à me proposer que le siège du gouvernement et des ruines ? Je crois qu'il y a des ados qui font du skate sur la place. On peut aller voir ?

Elle me fait un clin d'œil complice.

—On s'arrêtera évidemment en chemin pour flâner un peu sur la Plaza de la Constitución.

J'ai l'estomac qui gargouille bruyamment. Moi, les émotions, ça me creuse l'appétit plutôt que de me le couper...

—On mange un morceau avant ?

—J'ai remarqué qu'il y avait plusieurs stands de restauration rapide et de nombreux vendeurs ambulants. Que dirais-tu de faire comme les locaux ?

—Tu crois qu'il y aura des spaghettis ? 😄

Elle rit.

—Des spaghettis, je ne crois pas. Mais très certainement des tortillas, du riz, du *guacamole*, de la *sopa de pollo*, des *frijoles*, des bananes plantain frites et des *churros*.

—Hein ? Des bananes quoi ? 😕

—Tu vas adorer, je te le promets. Emporte une petite veste. Il y a d'importants écarts de température ici.

À ma grande surprise, il ne fait effectivement pas très chaud à Mexico. C'est à cause de l'altitude. Tu sais, plus on s'élève, plus la pression de l'air diminue et plus il fait froid, même si on s'approche de l'hémisphère Sud. Pour te donner une idée, la ville de Québec est située à 98 mètres au-dessus du niveau de la mer, Paris, à 35 mètres et Londres, à 11 mètres. Quant à la ville de Mexico, elle s'élève à 2 250 mètres au-dessus du niveau de la mer. Malade, non ? ☺

Quoi qu'il en soit, en sortant, je suis inexplicablement soulagée de ne pas revoir le petit garçon aux pieds nus. Je sais, le fait de ne pas le voir ne signifie pas qu'il a trouvé à se chausser, mais cela permet à ma conscience de me donner un peu de répit. Et puis, le regard de sa grande sœur avait quelque chose qui donnait le frisson…

— Tant que le soleil brille, ça va, signale maman, mais dès qu'un nuage se pointe ou que le crépuscule arrive, on sent le froid.

Il fait cependant bien meilleur qu'à Québec. Le nez au vent, je profite de la tiédeur de l'air, toute à la joie d'être loin de chez moi et de profiter du moment présent. Wow, c'est fou ce qu'on se marche sur les pieds par ici ! Paraît qu'il y a autour de vingt-trois millions d'habitants à Mexico. Pas étonnant qu'il y ait foule de tous les côtés ! Peuplée d'une faune bigarrée, la Grande place est… comment dire ? Très grande et très animée ! Nous sommes dans la ville de tous les superlatifs, semble-t-il, et à cette heure-ci, la place pullule de vendeuses et de vendeurs ambulants qui tentent d'attirer l'attention des passants en vantant à voix haute les mérites de leurs marchandises : paniers en osier, poupées, bonbons et ballons, CD et DVD, bijoux de pacotille, piles, cartes postales, porte-clefs et souvenirs religieux. En plus des touristes et des commerçants, s'y côtoient des employés de bureau en col blanc et cravate, des étudiants en uniforme, des cireurs de chaussures à la recherche de clients, des petites vieilles édentées mendiant quelques piécettes, et pas mal de flâneurs. Des musiques tonitruantes allant du reggaeton à Rihanna en passant par le folklore traditionnel s'échappent des systèmes de son portables de plusieurs commerçants. De jeunes baby-sitters promènent des bébés endormis dans leurs landaus. Des hipsters déambulent avec de lourds sacs sur le dos. Nous tombons même sur une troupe de danseurs de rue en costume folklorique. Une joyeuse pagaille ! J'adore !! ☺

Les ados que j'ai aperçus du haut de la fenêtre font des cascades sur leurs skates. Ils sont plutôt bons et pas mal cutes, aussi. (L'un d'eux ressemble même à Rick Pagano, tu sais, le candidat à *La Voix*[10] ? Il porte le même chapeau de feutre noir ! ☺) Loin d'avoir l'air aussi pauvres que la famille de tout à l'heure, ils sont tous chaussés de Nike et portent des t-shirts et des jeans à la dernière mode. Trois d'entre eux s'arrêtent pour me regarder d'un œil effronté en faisant un drôle de bruit avec leur bouche. Ça sonne comme : « Kiss, kisss, kissss, kisssss ! »

Ça ne me plaît pas trop, je dois le dire. ☹ En voyant mon visage offusqué, ils se mettent à rigoler.

— Pourquoi font-ils ça ?

— C'est leur manière de te draguer, je crois. Un peu comme les sifflements que laissent parfois échapper les hommes, au Canada.

— Ce n'est pas très agréable, je trouve.

— C'est tout à fait sexiste, tu as raison. Tu veux rester là pour les regarder se pavaner ?

Je leur jette un regard courroucé. Je dois avoir l'air particulièrement menaçante parce que celui

---

10. Il a d'ailleurs fini deuxième lors des éliminatoires de cette populaire émission de téléréalité québécoise, en 2019.

qui porte un chapeau vient à ma rescousse et leur enjoint de cesser. Trop tard, mon intérêt a disparu.

—J'ai changé d'idée. Allons voir autre chose. De toute façon, y'a pas que les garçons dans la vie. 😊

C'est vrai, quoi! Qu'est-ce que c'est que ces manières?! Je n'aime pas du tout cette sensation d'être confondue avec un morceau de gâteau au chocolat. Grrr! 😁

Un peu plus loin, un vieil homme coiffé d'un chapeau de paille et portant un tablier avec une grande poche attire mon attention. Brandissant de toutes petites boîtes, il crie à la ronde quelque chose qui sonne comme : « Tchiclé, tchiclé[11] ! »

—C'est quoi d'après toi, m'man?

—De la gomme à mâcher.

—Vraiment?

—Tout à fait. Le chiclé est un latex tiré d'une plante originaire d'Amérique centrale qui s'appelle le sapotillier ou sapotier. C'est cette matière qui était utilisée à l'origine dans la fabrication de nos gommes à mâcher. Quand j'étais jeune, c'était aussi le nom d'une marque. Les couleurs vives du chewing-gum aux fruits "Chiclets" donnaient

---

11. L'épellation correcte en espagnol est *chicle*, mais le mot se prononce effectivement « tchiclé ».

l'impression qu'il s'agissait de bonbons. En recevoir un paquet était un cadeau, et lorsque la boîte était vide, on s'en servait pour faire de la musique. On ouvrait les rabats, on soufflait dedans, et ça faisait le son d'un gazou.

Sacrée m'man et son « ancien temps » ! Elle tente continuellement de me faire avaler que les enfants de son époque se contentaient de boîtes de carton vides pour s'amuser. 😂

Changement de sujet, ça ne doit pas rapporter grand-chose de vendre de la gomme à mâcher...

12 H 30

Concernant la nourriture, le choix est aussi vaste qu'elle me l'avait prédit. Pas de MacDo en vue, mais la variété des produits offerts par les étals de cuisine de rue est impressionnante et le kaléidoscope d'odeurs et de couleurs m'ouvre rapidement l'appétit. Je suis d'abord alléchée par des épis de maïs piqués sur des bâtons. Puis, un peu plus loin, c'est l'odeur des tacos, des *enchiladas*[12] et des *quesadillas* qui m'interpelle. Miam ! Il y a aussi un stand de jus de fruits frais. Wow ! Les couleurs

---

12. Tortilla refermée comme un chausson et fourrée de viande ou de poisson, puis frite dans l'huile.

et les odeurs de papaye, de mangue et de pastèque sont absolument irrésistibles!

—Et ça, qu'est-ce que c'est? demandé-je en pointant des petits paquets de ce qui ressemble à des feuilles d'épis de maïs.

—Ce sont des *tamales*. Il s'agit de pâtés de maïs fourrés de viande ou de poisson et enveloppés ensuite dans des feuilles d'épis de maïs pour être cuits à la vapeur. C'est très prisé. Tu veux y goûter?

—Euh! peut-être une autre fois.

Mon choix finit par se porter sur une tortilla garnie de viande et de guacamole, et un jus de mangue. Nous avons regardé la vendeuse préparer le jus devant nous et maman s'est assurée que les fruits étaient correctement pelés et qu'elle n'y ajoutait pas d'eau puisqu'il paraît que l'eau courante n'est pas potable à Mexico.

Comme nous n'avons pas trouvé d'endroit où nous asseoir, nous mangeons debout et le jus de tortilla me coule entre les doigts. Pas grave! ☺

—Et puis? demande maman.

—Absolument délicieux! Et toi?

—Je n'en ai jamais mangé de meilleur!

Elle a choisi un plat composé de riz et d'une tortilla garnie de purée de haricots noirs, accompagnée de rondelles de bananes frites comme des chips. Elle m'y fait goûter et je partage mon guacamole avec elle. Miam! Pas pire du tout, les bananes frites! ☺

La bouche pleine, je me retourne plusieurs fois pour regarder tout autour de moi. Je ne sais pas pourquoi, mais j'ai la vague impression d'être observée.

— Qu'y a-t-il?

— Tu n'as pas l'impression qu'on nous regarde?

Elle éclate de rire.

— Évidemment qu'on nous regarde. Nous sommes deux *gringas*[13] en visite à Mexico, tu es belle comme un cœur et j'ai les cheveux les plus blonds des environs! Il ne faut pas s'en étonner!

13 H 05

Nos estomacs rassasiés, il me tarde de continuer à explorer.

— On fait quoi maintenant?

— On entre là-dedans, dit maman en pointant du doigt le Palacio Nacional. À l'intérieur, il y a un truc que je veux te montrer.

---

13. Les termes *gringos* et *gringas* sont des mots d'argot espagnol utilisés pour désigner les étrangers et les étrangères. La connotation n'est pas toujours véritablement négative puisqu'elle varie en fonction du contexte.

Moi qui espérais qu'elle avait oublié… Je n'ai pas trop envie de m'enfermer alors qu'il fait si beau dehors, je l'avoue. La façade de l'édifice est cependant pas mal impressionnante. Elle occupe en effet un pan entier de la grande place et une immense cloche est accrochée au-dessus de son entrée principale. Si le hall d'un simple hôtel est déjà si beau qu'on en a le souffle coupé, je n'ose imaginer ce que l'intérieur d'un « palais » doit être, alors je cesse de protester et finis par accepter.

Plantée devant l'édifice, maman me fait d'abord la lecture d'un extrait de son sempiternel guide touristique :

—Tour à tour siège de la vice-royauté, puis du pouvoir républicain, le Palais national a subi plusieurs transformations au fil des soulèvements, depuis sa construction originelle, au XVIᵉ siècle. Haut lieu du gouvernement, le bâtiment abrite également une importante bibliothèque et les archives nationales. De plus, on y retrouve une dizaine de cours intérieures. Chaque après-midi, une garde d'honneur quitte la cour principale au coucher du soleil pour aller abaisser le drapeau national perché en haut d'un mât s'élevant au milieu de Plaza de la Constitución. Enfin, le 15 septembre de chaque année, le président apparaît au balcon principal du Palais, au-dessus de la porte centrale, et fait ensuite sonner la cloche qui y est accrochée, afin de commémorer le discours du curé Miguel Hidalgo y Costilla qui appela les fidèles à se rebeller contre l'autorité coloniale espagnole, le dimanche 15 septembre 1810. On l'appelle la "cloche de Dolores" parce qu'elle fut offerte à la capitale en 1896 par le village de Dolores Hidalgo où s'est passé cet événement crucial, ayant mené plus tard à l'indépendance du Mexique.

—Alors, on entre ou pas? m'impatienté-je.

Ces descriptions à saveur historique sont très intéressantes, mais je préfère en général constater de visu. (Pas toi? ☺)

13 H 10

L'intérieur du bâtiment est effectivement très beau, mais peut-être pas autant que l'éblouissant hall de notre hôtel. En fait, il est difficile d'en juger parce qu'il n'y a malheureusement que quelques rares sections accessibles aux touristes. Parmi celles-ci, il y a une grande cour intérieure avec une fontaine, de hautes arcades et un immense escalier. J'allais proposer de sortir visiter autre chose lorsque mon regard s'immobilise sur le mur de l'escalier et que je comprends soudain ce que nous sommes venues faire ici. La vedette de l'endroit est une fresque! Une gigantesque peinture aux personnages surdimensionnés qui s'étend sur la longueur entière du mur longeant les marches, pour s'étaler ensuite dans les couloirs de l'étage. Wow! Je tombe presque à la renverse tellement c'est saisissant. ☺

—C'est ce que je voulais partager avec toi, souffle maman, dont les pupilles sont agrandies par l'admiration. Il y a plusieurs fresques dans le bâtiment, mais celle-ci est l'œuvre principale. Je suis remplie de gratitude d'avoir la chance d'être ici, maintenant, suite à notre mésaventure de ce matin. C'est beau, non?

Il est surtout difficile de ne pas être troublée par la taille de l'œuvre.

—C'est quand même une drôle d'idée que de peindre sur les murs plutôt que sur une toile, remarqué-je. Je me souviens avoir essayé de le faire à la maison, quand j'avais trois ou quatre ans... et de n'avoir pas été félicitée.

Elle sourit.

—Le titre de cette fresque est *Epopeya del pueblo mexicano*, "*Épopée du peuple mexicain*". C'est une sorte de poème épique célébrant en images la riche histoire du peuple mexicain.

—Comment se fait-il que tu la connaisses?

—Je l'ai vue dans plusieurs livres d'art et dans quelques films. Elle raconte l'histoire du Mexique, mais surtout celle de ses habitants. Son auteur, Diego Rivera, est l'un des artistes les plus importants du mouvement muraliste mexicain.

—Ah bon? Mais de quoi s'agit-il exactement?

—C'est un mouvement pictural qui visait à rendre l'art et l'histoire accessibles à tous, peu importe la classe sociale, le revenu ou le niveau d'éducation. Il s'est développé ici, au Mexique, au début du XXe siècle, et Diego Rivera en est sans doute la figure la plus marquante. La taille des œuvres était une façon non seulement d'en démocratiser l'accès, mais aussi de susciter la curiosité chez les gens qui normalement ne s'intéressaient pas à l'art. Les murales sont parfaites pour les endroits publics, comme celui-ci. Plus petites, les peintures sont enfermées dans des musées, rangées dans des coffres-forts ou cachées dans le salon de gens fortunés.

—Je comprends. Trop bon comme idée. ☺ On se croirait au cinéma!

À ce que je vois, il y a des centaines de personnages plus grands que nature dans ces fresques, et des scènes illustrant de multiples époques, aussi. On dirait une bande dessinée géante ou un film nous transportant dans le temps. Ma curiosité attisée, je monte quelques marches. Très dense et hautement colorée, l'œuvre principale se divise en trois parties, comme l'escalier lui-même. Il y a deux tableaux latéraux et un immense tableau central. À l'étage, il y a d'autres fresques courant dans les couloirs. C'est géant !

— L'histoire qu'on raconte ici, explique maman, débute à l'époque préhispanique, c'est-à-dire avec les peuples autochtones qui habitaient déjà le pays avant l'arrivée des Espagnols, pour se terminer autour de 1929. Le maître a consacré plus de six ans de sa vie à ce chef-d'œuvre. Et, accessoirement, il a aussi été l'époux de l'artiste Frida Kahlo pendant de nombreuses années. Tu vois de qui je parle ?

Mon visage s'éclaire.

— Oh ! mais oui ! On a parlé d'elle en classe. Elle était vraiment cool ! C'était une peintre très connue. Elle avait un mono-sourcil et était accro aux égoportraits au moins autant que l'était Van Gogh. 😄

Elle rit.

— En peinture, on parle plutôt d'autoportraits, pitchounette, mais je vois ce que tu veux dire. Cependant, le génie de cette artiste majeure, et l'admiration que provoque aujourd'hui son univers particulier, vont bien au-delà de ce que tu peux imaginer. Par ailleurs, Rivera l'a représentée quelque part dans cette œuvre. Voyons voir si tu arrives à la trouver.

— D'accord !

Je continue mon exploration, scrutant tout dans le moindre détail. J'admire tout d'abord les dessins représentant la culture préeuropéenne et sa mythologie. On reconnaît les indigènes à la couleur de leur peau et à leur habillement. Là, ils vaquent à leurs activités quotidiennes. Ici, ils se battent ou participent à des cérémonies. À quelques endroits, les personnages portent des costumes très colorés et des coiffures bizarres, dont plusieurs avec des plumes. Certains arborent des têtes d'animaux ou sont habillés de peaux de jaguar. J'imagine que ce sont des divinités, à moins que ce ne soient des prêtres. Il y a abondance de parures et de bijoux aussi. Je remarque même à l'occasion des *stretchs* servant à agrandir les lobes d'oreilles et des anneaux au septum[14] nasal.

— Ma vignette préférée de cette portion de l'histoire est ce dessin représentant Quetzalcóatl, le dieu de la légende du serpent à plumes, dit maman en pointant du doigt une sorte d'énorme bête à mi-chemin entre le serpent et le dragon.

---

14. Paroi séparant les deux narines.

—Ouais… Joli, mais quand même assez effrayant.

Je glisse rapidement sur les images représentant des personnes offertes en sacrifice aux dieux. Je ne peux pas croire que des choses pareilles aient pu se produire! 💀

Mon attention se porte ensuite sur l'arrivée des Espagnols. Ils vont à cheval et sont armés de fusils. En guise de protection, ils arborent casques, armures et boucliers.

—Dis, m'man, je reconnais Cortés sur son cheval blanc, mais je ne connais pas le personnage qu'il affronte et qui est armé d'une simple lance.

—C'est Cuauhtémoc, le dernier empereur aztèque, dont il ne fera qu'une bouchée.

—Oh!

C'est la conquête et certaines images sont d'une violence à donner le vertige. Un véritable carnage en gros plan! (On se croirait littéralement au cinéma IMAX, je te jure. ☺ J'en ai des frissons.)

Suivent des dessins d'une plus grande cruauté encore, montrant cette fois des religieux à la peau blanche torturant des hommes et des femmes à la peau brune. C'est carrément insoutenable. Je détourne la tête, cherchant ma mère des yeux. Elle est là, tout à côté de moi, et semble aussi bouleversée que je le suis.

—Pas tout à fait paisible comme histoire, commenté-je.

—Je sais, ma puce, c'est terrible, répond-elle en hochant tristement la tête. Tu sais, l'histoire de l'Europe et celle de l'Amérique du Nord ne sont pas exemptes de ce genre d'atrocités, elles non plus.

—Je sais, mais ces scènes de torture, qu'est-ce qu'elles sont censées représenter?

—L'Inquisition espagnole. La bêtise humaine et sa cruauté.

—Oui, mais c'était quoi "l'Inquisition"?

—Une institution mise en place en Espagne par les autorités religieuses et qui avait pour but de réprimer les actes considérés comme non ortho-doxes dans les multiples colonies du royaume.

—Hein?

—Pour simplifier, disons que les religieux espagnols traquaient, arrêtaient, jugeaient très sommairement et punissaient à mort, après les avoir cruellement torturés, les hommes et les femmes, en particulier des autochtones, reconnus coupables de ne pas respecter les enseignements de l'Église catholique. Un véritable cauchemar!

J'ai la nausée. Sérieux, tant de violence, de cruauté et de barbarie entre êtres humains me dépasse totalement. Il y a tellement de mauvaise volonté de la part de certains adultes! Il leur faudrait prendre exemple sur les enfants, je trouve. Moi, je ne veux rien d'autre que de vivre dans un monde où les disputes et les mésententes n'existent pas. (Quoi? Ben là, naooon! Je ne vois pas le rapport! Qu'est-ce que tu racontes? 😊)

En haut des marches latérales, l'indépendance constitue le thème central du tableau principal. Je repère le portrait de celui qui doit être le bon curé Hidalgo, celui qui a incité ses fidèles à se rebeller contre les Espagnols.

— Par ici, Rivera a voulu montrer la lutte du peuple pour la justice et la liberté contre l'oppression et les dérives du pouvoir. Il y a eu au moins deux révolutions au Mexique, la première au début du XIXe siècle, la seconde, cent ans plus tard. Là, coiffé d'un sombrero, c'est Pancho Villa, l'un des principaux acteurs de la révolution de 1910. Plus loin, c'est Emiliano Zapata.

Je prends un million de photos (minimum) pour mon profil Instagram. Tout en haut, ma mère m'entraîne vers les côtés tout en continuant sa description:

— Là, Rivera met en scène la lutte des pauvres face aux plus riches; celle des travailleurs face aux grandes entreprises, celle du peuple face à un pouvoir qui l'opprime. Il a peint les artistes, les artisans, les paysans, les simples hommes, femmes et enfants comme des héros! Ici, c'est la vision du peintre de ce qu'était le Mexique des années 1920, et de ce qu'il espérait qu'il deviendrait par la suite. Rivera témoigne des espoirs d'un peuple fier et courageux. Malheureusement, la suite n'a pas nécessairement été à la hauteur de tous les espoirs, s'attriste ma mère.

—Regarde! Voilà Frida Kahlo! m'exclamé-je, fière de moi.

—Bravo!

Elle me pointe quelqu'un d'autre du doigt:

—Et ce gros homme, ici, c'est Rivera lui-même.

—Oh!

Il n'avait pas un physique très avantageux, le pauvre... ☺

Enfin, c'est bien beau la visite, mais toutes ces images en cinémascope m'ont profondément remuée, je dois l'avouer, alors j'ai maintenant besoin de prendre l'air. Sans blague, les guerres et les méchants, ça me fatigue. En gros, l'histoire du Mexique, c'est celle du choc entre deux peuples, issus de deux cultures très différentes. Les représentants de la première avaient la peau cuivrée, ceux de la deuxième avaient la peau blanche. Mais les deux se sont livrés à des actes de violence sur des personnes innocentes. Bref, aucun de ces deux peuples n'était réellement civilisé, si tu veux mon avis...

— Sortons voir le soleil, dis-je.

— Bonne idée!

14 H

De retour sur le trottoir, nous tombons nez à nez avec le duo Gina et Ginette. 😊 Cette dernière a les bras chargés de sacs de magasinage et semble de bien meilleure humeur qu'en fin de matinée.

— Vous voilà enfin! Marianne, il faut absolument que tu voies l'adorable petite chose que je viens d'acheter pour une bouchée de pain! s'écrie-t-elle en sortant d'un des sacs une longue robe en coton noire dont le corsage est brodé de fleurs de couleurs vives.

— Oh! un *huipil*. Il est très joli! complimente ma mère.

— C'est une robe, Marianne, proteste Ginette.

Maman éclate de rire.

— Je sais bien que c'est une robe, très chère. C'est même une robe traditionnelle portée par les Indiennes du Mexique, et de toute l'Amérique centrale, en fait. Ça s'appelle un *huipil*, tu peux me croire.

— Elle m'a acheté la même en rose et aussi ceci, ajoute Gina, en brandissant un grand panier d'osier orange vif. Ça sera génial dans ma chambre, hein, Jules ?

Ne sachant que répondre, je me tiens coite en me disant que j'aurais bien aimé qu'on m'achète une robe de ce genre, à moi aussi... ☺

— Il faut absolument que nous soupions ensemble toutes les quatre ce soir. J'ai repéré un charmant restaurant avec une adorable terrasse et des parasols, et ce n'est pas très loin de notre hôtel ! poursuit Ginette.

— Bonne idée, répond maman.

— C'est que... rétorqué-je. On pensait plutôt manger dans notre chambre ce soir, non ?

Le coup d'œil que me lance Gina fait presque peine à voir, je l'avoue. Mais je ne suis pas dupe ! C'est pour mieux cacher sa duplicité. Pendant combien de temps encore va-t-elle me jouer cette comédie de la-pauvre-petite-qui-s'excuse-sans-succès-et-fait-trop-pitié ?

De son côté, ma mère me jette un regard d'incompréhension avant de me contredire et de me faire perdre la face, bien évidemment. ☹

— Voyons donc ! Tu plaisantes, bien entendu. Nous n'allons certainement pas passer notre première soirée à Mexico enfermées dans une chambre d'hôtel. Qu'est-ce qui te prend tout à coup, ma pauvre Julieeetttttte?

Grrr! Ensuite, elle assène le coup final:

— En attendant, Juliette et moi pensions aller visiter le Templo Mayor, poursuit-elle. Vous venez?

Ma mère, parfois, je la vendrais pour pas cher! ☹ Je suis fatiguée, j'ai mal aux pieds et je préférerais aller me reposer plutôt que de me taper le reste de l'après-midi en compagnie de Gina et Ginette. (Quoi? Oui, je sais, tu me l'as déjà dit. Crois-tu vraiment que tu ferais mieux à ma place? ☺)

Détournant le regard, je fais semblant d'être absorbée par l'examen de la foule environnante. Je ne sais trop si c'est mon imagination qui me joue des tours, mais en posant les yeux sur un arbre, j'ai l'impression d'apercevoir une silhouette qui se serait cachée derrière précipitamment pour échapper à mon regard. Je secoue la tête. La fatigue me cause des hallucinations, je crois. À moins que... ☺

14 H 30

— Le Templo Mayor était un lieu de culte qui fut édifié par les Aztèques, au XIVe siècle. Il fut maintes fois agrandi durant les deux siècles suivants, explique l'auteure de mes jours, son guide touristique toujours à la main. Après sa victoire sur les Aztèques, en 1521, Cortés fit démolir la pyramide, en récupéra les pierres pour construire le Palais et l'immense cathédrale qui est de l'autre côté de la rue. Le temple et la place ont ensuite été recouverts de pavés et complètement oubliés. C'est en creusant lors de travaux pour la construction du métro, en 1978, qu'on a redécouvert et déterré ce que l'on peut voir aujourd'hui.

Nous parcourons les ruines de ce qui reste de l'endroit original. Pas grand-chose en fait. De la pierre, des vestiges de murs, des marches... Il faut pas mal d'imagination pour se représenter ce qu'a pu être le site à l'époque de sa grandeur, c'est-à-dire avant d'être rasé par le méchant Cortés et ses petits copains, les conquistadores espagnols.

— Le temple principal était au cœur d'une immense cité nommée Tenochtitlán, poursuit-elle. On dit que les guerriers aztèques, appelés alors les Mexicas, ont choisi ce site pour bâtir leur cité après y avoir aperçu un aigle posé sur un cactus et occupé à dévorer un serpent, parce que cela correspondait à une prophétie.

— Charmant ! commente Ginette, sarcastique.

— C'est quoi une prophétie ? demande Gina.

—Une prophétie est une prédiction faite par un prophète. C'est bien évident! réponds-je, pour lui clouer le bec. 😵

—En fait, selon la légende, c'est Huitzilopochtli, la divinité principale des Mexicas, qui aurait, on ne sait par quel moyen, communiqué cette prédiction. Le jour où cette vision se concrétiserait, son peuple pourrait mettre fin à son errance et ériger une grande cité, là où on aurait vu l'aigle.

—Ah bon! dit Gina. J'ai justement remarqué qu'il y avait un aigle tenant un serpent dans son bec, au centre du drapeau mexicain.

—Bien observé, Gina, la félicite ma mère.

Grrr! 😡

—La construction de Tenochtitlán a représenté un énorme défi puisque le terrain, un ancien lac, était marécageux et insalubre. Il a fallu construire des îles artificielles, des digues et des canaux, un peu comme à Venise, poursuit-elle.

—Ou comme à Amsterdam, ajouté-je, fière de moi.

—C'est cela. Par ailleurs, au fur et à mesure de son développement, l'Empire aztèque s'est complexifié, avec une hiérarchie sociale composée d'une famille royale au sommet, de nobles, de militaires et de marchands, d'artisans, d'ouvriers et de paysans. Ces derniers étant considérés comme la plèbe.

—C'est quoi la plèbe?

—Le "petit" peuple, les gens les plus démunis, explique maman.

Hum! Je repense à la petite famille de ce matin et je me dis que, de nos jours, la plèbe se compose fort possiblement d'à peu près TOUS les descendants de ce peuple ancien, quel que fût le statut de leurs ancêtres.

—Par ailleurs, la religion pratiquée par les Mexicas leur avait été léguée par les Toltèques, un peuple qui avait occupé la région bien avant eux et qui construisait déjà des pyramides. C'est ici même, au milieu d'une cité dont on dit qu'elle fut plus grande et plus somptueuse que les plus importantes cités européennes, qu'ils érigèrent leur principal lieu de culte. En 1978, des fouilles archéologiques ont révélé les vestiges de plusieurs temples superposés sous le site principal. On pense que dans une sorte de folie des grandeurs, chaque nouvel empereur aztèque construisait par-dessus les constructions de l'empereur précédent. Il y aurait eu, par exemple, deux petits temples jumeaux érigés au sommet du temple principal. L'un était dédié à Tlaloc, le dieu de la pluie, et l'autre, au dieu de la guerre, Huitzilopochtli.

Contre toute attente, le petit laïus[15] historique de ma mère est interrompu.

—Aïe! Il faut faire attention à l'endroit où on met les pieds par ici! crie soudain Ginette après s'être cogné un orteil contre une énorme pierre, alors que nous montons quelques marches.

—Il s'agit d'une pierre sacrificielle, déclare maman, un sourire en coin.

—Quoi! s'exclame Ginette, soudain toute pâle. Tu veux dire que je viens de me blesser sur une pierre qui a servi de support pour égorger des victimes innocentes?

—Oui. Désolée. Il semblerait que les sacrifices humains servaient à apaiser la colère des dieux. Les victimes étaient attachées sur le dos à ce type de bloc de pierre, avant d'être immolées avec un couteau d'obsidienne, puis jetées au bas de l'escalier qui menait au sommet de la pyramide.

—Qu'est-ce que c'est de l'obsidienne? demandé-je en frissonnant.

—Une pierre volcanique souvent noire et qui a l'apparence du verre.

—J'ai même entendu dire qu'on leur arrachait le cœur alors que les victimes étaient encore

---

15. Discours.

vivantes et que les prêtres indigènes le mangeaient, murmure Gina.

— ARK-QUE ! Mais qu'est-ce qui te prend de raconter des horreurs pareilles ? m'écrié-je.

— Ben, c'est Gino qui m'a raconté ça, une fois.

— Je ne te crois pas !

— Puisque je te le dis !

Je pose les poings sur mes hanches.

— Quand ça ? Le jour où tu l'as embrassé peut-être ? ☺

— Non, durant le cours d'histoire, la dernière fois que tu t'es absentée pour voyager.

Grrrr ! Elle m'énerve de plus en plus ! Si je m'écoutais, je l'étriperais sur-le-champ. Elle a drôlement de la chance que nos deux mères soient là ! (Quoi ? Comment ça, je manque de jugement autant que d'indulgence ? ☺)

Au pied des ruines d'un escalier principal, nous nous arrêtons devant deux espèces de sculptures d'énormes serpents avec des têtes hideuses. Brrr ! Depuis que maman a évoqué les sacrifices humains, cet endroit fait hérisser tous les poils de mes bras.

— Ce sont des représentations du serpent ondulant, poursuit-elle. Un des symboles chers aux Aztèques.

Un parcours a été mis en place parmi les ruines. Une passerelle nous permet notamment de monter sur une plateforme située plus haut. Là, nous nous arrêtons devant la sculpture d'un personnage à demi allongé sur le dos, genoux repliés, et portant un bol qu'il tient en équilibre sur son ventre.

— Et ça, qu'est-ce que c'est ?

J'ai posé la question d'une toute petite voix parce que j'ai presque peur de la réponse.

— Un Chac Mool. Le récipient était utilisé pour y déposer des offrandes, continue maman, apparemment insensible à nos grimaces de dégoût.

Quoi qu'il en soit, je mitraille le site entier avec l'objectif de ma tablette. Vu d'ici, le coup d'œil est plutôt impressionnant et les images devraient faire leur petit effet sur Instagram.

— Psst, fait Gina à mon oreille, me faisant sursauter.

— Quoi ? 🖐

— J'ai l'impression qu'on nous suit depuis tout à l'heure. T'as remarqué ?

Je la regarde avec les yeux ronds. Il ne manquerait plus que ça ! Je veux dire, que nous soyons poursuivies par un forcené armé d'un couteau grossièrement sculpté dans une pierre volcanique.

— Tu me niaises ?

Elle veut peut-être seulement se rendre intéressante…

— Pas du tout. Ça fait plusieurs fois que j'ai la curieuse impression que nous sommes suivies, que quelqu'un se tient toujours pas très loin derrière nous. Lorsque je me retourne, il n'y a jamais personne. Mais, à au moins deux reprises, j'ai cru apercevoir une silhouette se dissimulant derrière une grosse pierre. Et juste à l'instant, en regardant en bas, je viens de voir une ombre s'esquiver.

—Une ombre? ☺

—C'est ça! Une ombre en train de se glisser à l'extérieur du site.

—Tu divagues, ma vieille! Ce ne serait pas un effet de lumière? Une sorte de halo dû à la chaleur?

—Hum, je ne crois pas. Sincèrement. Il se passe quelque chose. Je ne te mens pas!

—Ouais, à mon avis, il se passe probablement que le soleil aura trop longuement tapé sur ta jolie tête de linotte. De toute façon, j'en ai assez de cette visite. Je vais dire à maman que tu ne te sens pas bien et que nous souhaitons rentrer.

(Je sais ce que tu penses! Mais, la vérité, c'est que toutes ces histoires d'Aztèques, de sacrifices et d'ombres menaçantes me donnent carrément froid dans le dos! J'en ai assez!)

15 H 45

Grosse déception. Malgré mes protestations, mes compagnes insistent pour visiter la Catedral Metropolitana avant de rentrer.

—Une toute dernière avant de retourner à l'hôtel, c'est promis! insiste Ginette. Je veux faire brûler un cierge à la Vierge de Guadalupe.

Bon, qui c'est celle-là, maintenant? ☺

—Bonne idée! s'enthousiasme ma mère. Il semblerait que la cathédrale de Mexico soit la plus grande église d'Amérique latine et que sa construction se soit étalée sur trois siècles. J'ai donc moi aussi très envie de voir l'intérieur.

Elles ne se lassent donc jamais de visiter des monuments? (Soupir.)

Sur le parvis de l'immense église, je crois reconnaître certains membres de la petite famille de ce matin. ☺ Enfin, je pense qu'il s'agit d'eux, bien qu'il y ait deux enfants de plus. Le petit groupe est composé d'une pitchounette âgée d'environ deux ans, attachée cette fois dans le dos de sa grande sœur, et de trois petits garçons pieds nus. Ils vendent des trucs. Les gamins tiennent des ballons à bout de bras en interpellant les passants. Assises à même la pierre, l'aînée et sa mère offrent des poupées de chiffon disposées sur une couverture mauve aux bords déchirés. Je les dévisage l'un après l'autre, pas trop certaine qu'il s'agit bel et bien des mêmes qui étaient devant le Gran Casino Hotel.

J'ai l'impression que, lorsqu'on vient d'arriver dans un endroit où la physionomie des principaux habitants est «différente» de la nôtre, il n'est pas facile de distinguer les gens les uns des autres… C'est le cas pour moi, en tout cas.

Je me trompe ou la tunique de la fillette n'est pas identique à celle que portait l'autre ? Hum, difficile à dire. Avait-elle les cheveux nattés ou en queue de cheval ? Encore là, je n'en sais rien. Mes souvenirs me jouent des tours... Cette fillette-ci porte deux jolies nattes qui lui retombent au milieu de la poitrine. Et comme celle de ce matin, elle me dévisage avec une telle intensité que je finis par baisser les yeux, gênée.

À regret, je me résigne à suivre mon petit groupe à l'intérieur.

15 H 50

Après l'éblouissante lumière de l'extérieur, l'éclairage tamisé du sanctuaire catholique ne me permet pas de réaliser immédiatement à quel point cet endroit diffère des églises que j'ai pu visiter auparavant. Clignant des yeux, c'est en approchant de l'autel que je me rends compte que nous sommes littéralement entourées d'or ! ☺ Le fameux or des Aztèques ! Celui dont on dit qu'il attisait tellement la convoitise des Espagnols qu'ils n'hésitèrent pas à massacrer le peuple dont ils venaient de faire la connaissance.

En admirant les murs de ce chef-d'œuvre d'architecture baroque, je me dis que ça fait quand même quelque chose d'imaginer qu'il s'agit des mêmes pierres qui ont d'abord servi à la construction de la pyramide aztèque. Dans une niche, la Vierge de Guadalupe nous tend les bras. À ma grande surprise, elle a la peau brune! ☺ Rien à voir avec notre Marie traditionnelle.

— C'est qui cette dame?

— Selon la légende, répond maman, c'est la Vierge Marie, celle que l'on appelle ici "la Vierge de Guadalupe" ou "Notre-Dame de Guadalupe", sainte patronne de la ville de Mexico, du Mexique et de l'Amérique latine tout entière. Elle serait apparue à un indigène, sur la colline de Tepeyac, en 1531, avec cette figure. Son image et la dévotion qu'on lui porte servent de liant entre toutes les classes sociales et les origines ethniques que l'on trouve au Mexique.

— Tu parles d'une histoire! Ils sont catholiques, les Mexicains?

— Oui et très pratiquants pour la plupart.

Ça semble drôlement sérieux comme culte, parce que la plupart des visiteurs mettent de l'argent dans une espèce de petite boîte et allument des cierges en faisant le signe de la croix et en récitant des prières. Je ne te mens pas, il y a des centaines de cierges allumés un peu partout dans l'église. La mère de Gina en allume quelques-uns… Il paraît que ça aide à voir ses prières exaucées. ☺

—Tu as terminé, mon amie ? s'enquiert gentiment ma mère, après un petit moment.

—Tout à fait, répond Ginette, l'air satisfaite.

J'aimerais bien savoir ce qu'elle a pu faire, comme vœu.

16 H 15

Avant de rentrer, nous faisons un détour vers un charmant petit bistrot annonçant servir du chocolat chaud. J'ADOOORE le chocolat chaud. De préférence avec des carrés de guimauve flottant sur le dessus. Maman en commande pour tout le monde. Nos tasses à la main, nous nous asseyons à un comptoir faisant face à la fenêtre. Il n'y a pas de guimauves dedans, mais ce n'est pas grave. Ça sent bon. Miam !

—Attention, c'est chaud ! prévient ma mère.

Après y avoir prudemment trempé les lèvres, je constate que ce chocolat ne goûte pas du tout la même chose que celui dont j'ai l'habitude. ☹ Il est épicé ! Pas brûlant, mais un peu piquant.

—C'est bizarre, on dirait qu'on y a ajouté du piment ! m'exclamé-je.

—Pouach ! fait Ginette en recrachant sa gorgée. Ce n'est pas pour moi non plus !

—Moi, j'aime assez, dit Gina en faisant un bruit de bouche agaçant (et cherchant apparemment à contredire tout le monde).

—J'ai pas dit que je n'aimais pas ça. Juste que c'était bizarre, dis-je en prenant une si grosse gorgée que je me brûle la langue et que les larmes me viennent aux yeux. ☺

—Je crois qu'on incorpore un piment local au cacao broyé, en plus du sucre et de la cannelle, explique maman. Vous saviez que le chocolat était originaire du Mexique?

—C'est vrai? demande Gina.

😊

« Tout le monde sait ça ! » me dis-je, tout bas.

—Les Aztèques l'appelaient le *xocoatl*. Ils associaient la poudre qu'ils tiraient de la fève du cacaoyer, torréfiée et broyée, dont ils avaient remarqué les vertus stimulantes, à Xochiquetzal, la déesse de la fertilité. Ils le buvaient tiède. Lorsque Hernán Cortés en a ramené au roi d'Espagne, ça a tellement plu à ses contemporains que le chocolat s'est répandu, non seulement à la cour, mais à travers toute l'aristocratie européenne. Il faut dire que l'on doit aux moines espagnols l'idée de remplacer l'eau tiède par du lait chaud et le piment par de la cannelle, poursuit maman en souriant. Aujourd'hui, c'est une boisson universellement adorée, dont les arômes sont aussi diversifiés que le permet notre imagination. Personnellement, j'aime bien cette version.

—Très intéressant, commente Ginette. Tu me commandes un coca-cola, s'il te plaît?

Maman, qui parle un meilleur espagnol que nous toutes, passe la commande sans se faire prier. C'est certain qu'il est plus facile de voyager quand on maîtrise un peu la langue…

Observant les passants par la vitrine du bistrot, je constate qu'il y a autant de familles à l'allure moderne que de familles amérindiennes, c'est-à-dire habillées de façon traditionnelle. Pour la plupart, celles-ci sont composées d'une maman avec ses enfants. À quelques détails près, elles ressemblent toutes à celle que j'ai remarquée à la porte de notre hôtel.

17 H 15

Le soleil est déjà bas lorsque nous nous retrouvons sur le trottoir devant l'hôtel. Le soleil se couche tôt l'hiver, ici comme chez nous. Pas de traces du mignon jeune portier. J'allais entrer lorsque je sens un truc bizarre me frôler les mollets. ☺ Mon cœur se met à battre légèrement plus vite.

—Mais qu'est-ce que…?

Je regarde derrière moi, mais je ne vois rien.

—*OMG*! s'exclame bruyamment Gina en pointant la porte tournante. Il est trop cute! Regaaarrrde!

— Qu'est-ce que c'est?

— Un petit chien!

— Hein?

Je repère effectivement un quadrupède à l'allure un peu étrange en train de s'engouffrer dans le hall. Le temps d'entrer à notre tour, j'ai beau le chercher, il a disparu! ☹ Son maître devait le devancer et ils auront pris l'ascenseur avant que nous n'ayons grimpé les six marches de l'entrée. Hum, bizarre, quand même...

17 H 30

De retour dans notre chambre, je me sens épuisée et j'ai un peu mal à la tête. Apparemment, c'est à cause de l'altitude. Maman dit qu'il faut généralement quelques jours avant que notre corps s'habitue au fait que l'oxygène est plus rare ici qu'au niveau de la mer.

En branchant mon iPad mini sur le Wi-Fi, je constate que Gino a voulu prendre de mes nouvelles. Il peut toujours rêver s'il croit que je vais lui en donner! De toute façon, je serai rentrée dans une semaine, alors je ne pense pas qu'il y ait urgence. Je suis décidément de mauvaise humeur aujourd'hui. ☹

Préférant tout oublier, je me glisse entre les draps avec la ferme intention de faire une petite sieste avant l'épreuve du souper. La dernière pensée qui me vient à l'esprit, c'est que je suis en train de me transformer en véritable chipie et que je n'en suis pas trop fière. Zzzzz...

18 H 30

— Juliette ! Ju-li-eett-tte !

— Hein, quoi ?

— Il est dix-huit heures trente. Il faut aller rejoindre Ginette et Gina.

Je laisse échapper un « bof » sans conviction.

Elle pose une main sur mon front, son visage exprimant la perplexité.

— Veux-tu bien me dire ce qui se passe ? Tu es malade ?

Je hausse les épaules, hypocritement.

— Ben... rien. Ou plutôt, j'ai peut-être un peu mal à la gorge. Et puis, je veux juste passer du temps seule avec toi. Je vois déjà Gina tous les jours à l'école, tu sais.

Maman s'assied sur le lit à côté de moi.

—Raconte ça à d'autres, ma Juliettounette. Je te connais assez pour deviner que vous vous êtes sans doute disputées. Qu'est-il arrivé? Ça ne te ressemble pas de réagir comme ça.

—C'est à cause de Gino.

—Tu t'es fâchée avec ta meilleure amie au sujet de ton petit copain?

Je baisse la tête.

—Ouais.

—Se quereller à propos d'un garçon est sans doute la pire chose qui puisse arriver entre deux meilleures amies, choupinette, crois-moi. Es-tu certaine que ça en vaille la peine? Allez, raconte-moi tout!

En déballant toute l'histoire à maman, je me sens soudainement trop bête. En même temps, je suis soulagée d'en parler. J'avoue que je ne sais plus comment me comporter ou quoi penser après ce qui s'est passé aujourd'hui. Les émotions s'entre-choquent à l'intérieur de ma poitrine et je ne me sens pas bien.

—C'est tout? demande ma mère lorsque j'ai terminé.

—Ben... Oui.

Elle éclate de rire, mais voyant ma mine dépitée, elle se reprend.

—Je te demande pardon. C'est que, à mon humble avis, pucette, il n'y a certainement pas matière à dispute.

—Comment peux-tu dire ça ? Elle l'a quand même embrassé et c'est de mon Gino à moi qu'il s'agit, non ?

—Dis-moi, tu as tout de suite confié à ton amie que tu espérais que Gino et toi alliez vous rapprocher ?

—Ben... euh...

—C'était il y aura bientôt deux ans, non ?

—Je ne lui en ai pas tout de suite parlé... Pourquoi ?

—Comment peux-tu alors lui reprocher ce qui est arrivé à l'époque ?

—Je ne sais pas. On dirait que je n'arrive pas à identifier mes propres émotions. En tout cas, je ne réussis pas à les contrôler ou à les exprimer correctement.

—Tu te sens menacée dans ta relation avec Gino, c'est ça ? Tu as besoin d'être rassurée ?

Je baisse la tête et réponds d'une toute petite voix.

—Peut-être, oui... Je n'en suis pas certaine.

—S'il s'agit de cela, cette émotion s'appelle de la jalousie, déclare maman. Ça vient généralement avec un manque de confiance en soi et la peur de perdre la personne qu'on aime.

(Elle y va fort, non ? ☺ Tu es d'accord avec elle, toi ?)

— Tu crois ?

— J'en suis persuadée. Écoute, que tu n'aimes pas imaginer Gina embrassant Gino, c'est naturel. Mais que tu en veuilles à ton amie au point de mettre en péril votre amitié à cause d'une peccadille pareille, c'est tout autre chose et totalement indigne de toi. Lorsque l'occasion se présentera, tu lui parleras franchement de ce que tu ressens, et tout rentrera dans l'ordre.

— Oui, mais ça se pourrait que ce soit plutôt ma relation avec Gina que je sente menacée ?

— Que veux-tu dire ?

— Depuis ce matin, je me demande si je peux réellement lui faire confiance, si notre amitié est aussi forte que je l'ai toujours imaginé. On dirait que je ressens le besoin de la mettre à l'épreuve.

— Je comprends. Tu sais, l'amitié entre femmes est quelque chose d'extrêmement précieux. Entre nous, les filles, nous osons être nous-mêmes sans hésitation et nous savons nous serrer les coudes dans l'adversité. Il faut une très bonne raison pour mettre cette relation en péril, et lorsqu'elle est sincère, il faut un cataclysme extraordinaire pour l'ébranler. Enfin, sans solidarité, les femmes n'ont aucune chance d'atteindre leurs objectifs d'équité sociale. Je te conseille d'y réfléchir. Et je le répète, il te faudra en discuter sincèrement avec ton amie, écouter avec attention ce qu'elle aura à te dire et sonder ton cœur de la même manière et t'excuser, si nécessaire. Je ne vois pas d'autre manière de tirer les choses au clair.

Elle se redresse.

—Allez, sors de ce lit et habille-toi. Je ne voudrais pas faire attendre inutilement nos compagnes de voyage.

19 H

Nous les retrouvons dans le hall, habillées de leurs *huipils* sur lesquels elles ont passé leurs manteaux. Mon jeans me semble tout à coup bien ordinaire... Une fois dehors, la différence de température avec cet après-midi est remarquable. Heureusement que nous avons des manteaux parce que la soirée s'annonce fraîche.

—Tu as repéré un joli restaurant, disais-tu? demande ma mère en s'adressant à Ginette.

—Oui, avec une superbe terrasse. Le personnel de l'hôtel me l'a recommandé.

Ginette semble fière d'avoir elle-même choisi le restaurant. Je la comprends. Ma mère, je l'adore, mais elle décide tellement de tout que nous avons parfois l'impression d'être en compagnie d'une cheftaine scoute, voire d'une maîtresse d'école... Ça ne plaît pas nécessairement à tout le monde. ☹ (T'en penses quoi?)

La terrasse du restaurant Los Girasoles, situé au numéro 8 de la *calle*[16] Tacuba, est aussi jolie que la mère de Gina nous l'a décrite. Malheureusement, il fait un peu froid pour manger à l'extérieur. Brrrr!

—Vous préférez peut-être entrer? se résigne-t-elle à proposer.

Une proposition qui fait l'unanimité.

—Wow! C'est drôlement chic! m'exclamé-je en jetant un regard circulaire sur la salle.

—Et fabuleusement cher, note maman, après avoir regardé le menu posé sur la console de l'entrée.

(Un très beau menu décoré de tournesols, d'ailleurs. Sans doute parce que *girasoles* signifie « tournesols » en français. ☺)

—L'extérieur ne donnait pas cette impression de luxe, se désole encore l'auteure de mes jours.

---

16. Rue.

—Ah, je t'en prie, Marianne! Arrête de tout le temps stresser par rapport à l'argent, la gronde Ginette. Pour une fois, gâtons-nous un peu.

—Je veux bien, soupire maman en s'asseyant sur la chaise que vient de tirer le maître d'hôtel. Mais demain soir, c'est moi qui choisis le restaurant.

😒

19 H 45

Assises l'une en face de l'autre, Gina et moi sommes tellement embarrassées que nous n'osons même pas nous regarder franchement. Le mieux sera que je sois polie, sans avoir l'air de m'excuser, pensé-je. Sinon, le repas risque de tourner au vinaigre...

La carte est en espagnol et en anglais. Maman choisit sans hésiter un plat appelé *mole poblano*. Elle explique que c'est du poulet dans une sauce au chocolat amer et épicé. « Bizarrissime », dis-tu? Je suis d'accord, mais c'est un plat très populaire chez nos hôtes, paraît-il. Autre pays, autres mœurs. ☺

De son côté, Ginette arrête plutôt son choix sur une soupe repas poulet-avocat-tortillas. Miam! Ma mère en prépare parfois à la maison pour changer de l'habituelle soupe poulet et nouilles. C'est doux et velouté dans la bouche. Un très bon choix ! Elle tente de convaincre Gina de prendre la même chose, mais celle-ci préfère un *ceviche de camarones*, une spécialité de l'endroit, d'après ce que je comprends.

Je fais la grimace. Je n'aime pas les crevettes. Parce que *camarones* signifie « crevettes », comme tu l'as sûrement deviné. Et c'est bien pire dans ce cas-ci parce que le mot *ceviche* signifie que celles-ci seront servies crues, ou plutôt cuites rien que par le fait d'avoir été marinées dans du jus de lime. 😖 Comme il n'y a pas de spaghettis, je dois me rabattre sur autre chose. 😩

— Que vas-tu prendre ? demande maman.

Allez, je me lance et advienne que pourra !

— Ceci, dis-je en lui montrant la description d'une petite salade composée de légumes et de mangue verte accompagnant trois tacos à la viande.

— Tu es certaine de ton choix ? ajoute-t-elle, un pli soucieux sur le front. Il y a un menu enfant, si tu veux.

— Absolument, dis-je en refermant le menu et en regardant le serveur dans les yeux. *Tacos con insalata, por favor. ¡Gracias !*

Un menu enfant ! 😲 Non mais, pour qui elle me prend ? 😑

Nos plats étant commandés, je décide de prendre l'initiative de commencer une conversation. Autant briser la glace avec Gina. (C'est aussi ton avis ?)

— Comment trouves-tu le Mexique jusqu'à présent ? demandé-je, d'un ton que je souhaite le plus détaché possible.

— C'est trop joli ! s'enthousiasme-t-elle. Quel que soit l'endroit où notre regard se pose, il y a quelque chose de beau : les formes, les couleurs, les tissus, tout. Tu as vu comme les Indiennes sont magnifiques ? Elles semblent pauvres, pour la plupart, et pourtant, elles ont un port de tête très digne et de si jolis traits. Elles ont l'air réellement fières de leurs origines aztèques, et leur artisanat est superbe.

Je suis d'accord, bien sûr, mais je me contente de hocher la tête pour approuver poliment. (Je suis une vraie pro de la diplomatie, non ? 😊)

— Le Mexique est riche d'une longue tradition artistique, qu'il s'agisse de peinture, d'architecture ou même de cinéma, dit maman, se mêlant, Dieu sait pourquoi, à notre conversation. Tu as apporté ton carnet à dessin, Gina ?

— Malheureusement, je l'ai oublié.

— Dommage que nous n'ayons pas le temps de visiter Coyoacán. Je pense que tu aurais beaucoup apprécié.

Mais qu'est-ce qu'elle raconte encore ?!

—Ah bon! Pourquoi? Y'a quoi là-bas? demande Gina.

Et celle-là qui fait semblant de s'intéresser à ce que ma mère dit. C'est ahurissant! Si ça continue, je vais croire que ma présence les dérange. ☺

—C'est un secteur de Mexico. Un très joli quartier, apparemment, mais c'est surtout celui où se trouve la maison natale de Frida Kahlo qui a été transformée en musée.

—Oh! J'aurais adoré la visiter, c'est vrai! se désole Gina.

—Malheureusement, ça ne sera pas possible cette fois, puisque nous reprenons l'avion après-demain.

—Pourquoi ne pas y aller demain? demande Gina.

—Demain, je pensais plutôt vous proposer la visite des ruines de Teotihuacán. C'est l'incontournable absolu dans la région. Ça vous dit? À la réception, on m'a appris que tous les jours, en matinée, il y a un bus qui y amène les clients de l'hôtel qui le souhaitent.

—Oh! Génial! s'emballe Gina. Je vais essayer de trouver de quoi dessiner pour faire des croquis. Mon carnet m'a trop manqué aujourd'hui. Je trouve que les dessins font souvent de meilleurs souvenirs que les photos que l'on prend pour Instagram.

— Tu as bien raison, acquiesce maman.

— Encore des ruines ? Tu n'as rien de mieux à suggérer, Marianne ? demande Ginette. Je pensais qu'on pourrait se renseigner pour savoir s'il y a un centre commercial quelque part. Je m'achèterais bien de nouvelles chaussures. Ou des bottes ! J'ai vu de fabuleuses bottes cavalières aux pieds de plusieurs femmes, aujourd'hui.

— Je préférerais dépenser mon argent à faire une activité qui nous laissera des souvenirs indélébiles, rétorque ma mère. Il y a plusieurs pyramides à voir là-bas, dont la pyramide du Soleil qui est immense. Il paraît qu'on peut même y grimper. J'ai toujours rêvé d'en voir une de près ! Je pense sincèrement que ça vaut la peine d'aller voir ça.

Je sais que ma mère peut parfois sembler barbante avec sa lubie de toujours souhaiter en apprendre davantage sur l'histoire des pays que nous visitons, mais je ne peux m'empêcher de l'approuver, cette fois :

— Escalader une pyramide, quand même ! Moi, ça me semble vraiment cool comme activité.

— À moi aussi ! renchérit Gina.

Elle se tourne vers sa mère.

— Dis oui, maman, je t'en prie !

— Bon, bon, d'accord. Si ça peut te faire plaisir, ma chouette, je veux bien y penser.

— Tu aurais préféré voir le musée Frida Kahlo ? demande maman, avec tact.

— Pas vraiment, non. Moi, les musées, ça ne me dit pas grand-chose. Je viens dans le Sud pour la plage.

— C'est quand même intéressant d'avoir l'occasion de voir comment vivent les gens en dehors des régions touristiques, dis-je. J'ai remarqué des enfants partout où nous sommes allées aujourd'hui. Certains ont l'air très pauvres !

— L'écart entre les riches et les pauvres a toujours été important au Mexique. C'est comme ça et pas autrement. On n'y peut absolument rien, répond Ginette.

— Ça fait quand même mal de constater qu'au XXIᵉ siècle, certains enfants n'ont pas autant de chance que nous, ajouté-je.

Dans un élan de solidarité, Gina me touche la main par-dessus la table avant de répondre :

— Je suis d'accord avec Jules. C'est très triste de voir ces enfants qui ne vont pas à l'école. Si je le pouvais, j'adopterais toutes les petites filles que j'ai croisées aujourd'hui et qui semblaient ne pas manger à leur faim.

À cette seconde, son visage exprime tant de compassion et de sincérité que j'ai envie de me lever, de faire le tour de cette table et d'aller la prendre dans mes bras pour lui dire à quel point elle me manque et que je voudrais tellement que les choses redeviennent comme avant! Mais avec sa mère et la mienne attablées avec nous, le moment serait mal choisi. Alors je me mords la lèvre et je me retiens. Je lui parlerai demain. Nos assiettes viennent d'arriver et je meurs de faim. Wow! Les portions sont énormes.

20 H 15

Et les plats sont délicieux. J'adore les tacos, et les légumes sont tout aussi appétissants.

— Regarde, m'man, dans ma salade, y'a des mini poivrons colorés semblables à ceux que tu achètes à l'épicerie, dis-je avant d'en croquer un à belles dents.

— Julieeeette, nooon! laisse échapper maman.

— Hein! Quoi? OOOOOH!

Je sens soudain ma langue prendre feu. Ensuite, les flammes se propagent à l'intérieur de ma bouche et descendent dans mon œsophage avant d'envahir mon estomac. Je ne te mens pas, c'est comme si un volcan entrait en éruption à l'intérieur de moi, mais à l'envers, puisque la lave brûlante descend le long de mes conduits intérieurs au lieu de les remonter. À l'aide! 😣

—Pauvre Julieeetttte, ce n'étaient pas des poivrons, n'est-ce pas? sympathise-t-elle en me présentant un verre d'eau.

—C'était quooooiii? demandé-je en toussant, les yeux remplis de larmes.

Haaaa, haaa, haaa! Je tousse tellement que je ne serais pas surprise de constater que je viens de cracher mes amygdales... Le pire, c'est que l'eau ne semble être d'aucun secours pour apaiser cette sensation horrible.

—J'ai l'impression qu'il s'agit de piments banane. N'y touche surtout plus. La douleur va finir par passer.

—J'ai entendu dire qu'il fallait boire du lait. Il faudrait l'essayer, suggère Gina, la mine sincèrement compatissante.

—Bonne idée! *Dos vasos de leche, por favor*[17], commande maman en me donnant de petites tapes dans le dos pendant que je m'étouffe.

---

17. — Deux verres de lait, s'il vous plaît.

Notre repas avalé (accompagné, en ce qui me concerne, de six verres d'eau et de trois verres de lait) et ma toux calmée, nous quittons le restaurant, non sans avoir goûté des flancs au caramel pour dessert. Ils étaient délicieux, paraît-il. Personnellement, je ne sens plus l'intérieur de ma bouche, alors je ne peux pas vraiment en témoigner.

Ma mère a fait mettre ce qui restait de nos plats dans une boîte pour emporter. Elle offre ensuite celle-ci à une trop mignonne petite vieille en train de somnoler en position accroupie sur le trottoir, la tête enfouie dans son châle. Un élan de tendresse me traverse de part en part. Depuis toujours, je craque pour les petites vieilles.

—*Dios te bendiga*[18], remercie la grand-mère à qui il manque plusieurs dents.

—La pauvre, s'émeut Gina.

La nuit est tombée et nous sommes perdues dans nos pensées tandis que nous marchons vers l'hôtel. En ce qui me concerne, je me sens de plus en plus mal en pensant à Gina. Non seulement ai-je le sentiment d'avoir été mesquine avec elle, mais sans pouvoir l'expliquer, il semble que je lui

18. — Dieu te bénisse.

en veuille encore un tout petit peu. À moins que ce ne soit à moi que j'en veux? Rien n'est jamais tout noir ou tout blanc dans la vie. Les bons et les méchants ne sont pas toujours aussi faciles à départager. Je suis un peu mêlée, je l'avoue.

Ginette semble nerveuse. Elle marche d'un pas pressé, la tête rentrée dans les épaules.

— Pas si vite, m'man! dit Gina. J'ai du mal à te suivre. Qu'est-ce qui t'arrive? Tu as froid?

— Mais dépêchez-vous! Il paraît qu'il est vraiment dangereux d'être dehors après le coucher du soleil, par ici.

— Je ne pense pas qu'il y ait vraiment lieu de nous inquiéter, la rassure ma mère.

— Tu ne regardes jamais le téléjournal, Marianne? En dehors de Cancún, de la Riviera Maya ou de Puerto Vallarta, le Mexique est un pays vraiment violent et extrêmement dangereux. Ce n'est pas moi qui vais te l'apprendre.

— Dans certains coins, c'est possible, répond maman. Mais en général, et depuis notre arrivée, je n'ai vu que des gens créatifs et chaleureux qui tentent tant bien que mal de survivre dans un pays où il y a effectivement de grandes inégalités des chances et d'énormes défis à relever.

— Bah, y'a jamais moyen d'avoir raison quand on jase avec des intellos néo-hippies dans ton genre, riposte Ginette, en haussant les épaules. Il faut toujours que tu me contredises. Cesse d'argumenter et marche.

—Je ne cherchais pas à te contrarier et je suis sincèrement désolée si je t'ai blessée, s'excuse maman. Je pense seulement qu'il est important de replacer les choses dans leur contexte et je n'aimerais pas que les filles gardent un mauvais souvenir de leur voyage au Mexique.

Il y a encore pas mal de familles sur la grande place lorsque nous la traversons pour revenir à l'hôtel. Machinalement, je cherche des yeux la petite fille à laquelle j'ai pensé toute la journée. Je la compare à celle que j'étais au même âge... Le Mexique est décidément très différent de ce que j'imaginais. Enfin, je ne sais pas pourquoi, mais je croyais rencontrer des mariachis moustachus, un sombrero sur le coco, remuant des maracas en chantant joyeusement *La cucaracha*. À ma grande surprise, je n'ai rien vu de tout cela jusqu'à présent! ☺ Par contre, j'ai la tête pleine d'images reflétant des inégalités sociales entre enfants et adolescents, en fonction apparemment des revenus de leurs parents, de leur accès à l'éducation ou au logement. Les richesses, loin d'être inexistantes (me revient en mémoire l'intérieur de la cathédrale dégoulinante d'or et le luxe de notre hôtel), ne semblent pas réparties équitablement. Environ 3,5 millions d'enfants mexicains travaillent, selon ma journaliste de mère, que ce soit comme porteurs de bois ou de ciment, comme domestiques, travailleurs agricoles ou même en manufacture. C'est terrible! ☺ Des murs continuent de s'élever entre eux et nous.

Par ailleurs, la réaction de Ginette, persuadée que nous sommes entourées de bandits, me met à l'envers. Et si nous étions réellement menacées par des personnes mal intentionnées? Je n'ai rien vu qui justifie cette méfiance aujourd'hui, mais…

En frissonnant, je presse le pas à mon tour.

21 H

De retour à l'hôtel, maman propose de monter voir la terrasse.

— Une terrasse? Où ça?

— Sur le toit. J'ai vu des photos sur le site Internet de l'hôtel. Il suffit de monter jusqu'au 5e étage. On ne restera pas longtemps. Je veux juste jeter un coup d'œil de là-haut.

C'est une offre difficile à refuser, d'autant plus que nous n'avons rien d'autre à faire de notre soirée et qu'il n'y a certainement rien à craindre côté sécurité!

Et nous ne sommes pas déçues. Illuminée, l'immense place se déploie sous nos pieds et la vue sur le Palacio Nacional, qui brille de mille feux, est enchanteresse! Wow! C'est magnifique! ☻

Accoudée au parapet pour mieux profiter de la vue, je savoure la magie du moment. Une pensée s'insinue dans mon esprit: j'ai le coup de foudre pour Mexico. C'est un amour fou et effrayant à la fois, aussi passionné qu'irrationnel et totalement impossible à contrôler.

Un coup d'œil du côté de ma mère me confirme qu'elle ressent la même chose. Elle a des étoiles dans les yeux et paraît totalement subjuguée. Nous voilà dans de beaux draps! ☺

Tout compte fait, cette soirée se termine sur une note parfaite! Je me demande d'ailleurs pourquoi tout est toujours plus beau vu d'en haut. Peut-être parce que la distance permet un certain détachement? J'ai peine à croire qu'hier soir encore, nous étions à Québec. Il s'en est passé des choses en vingt-quatre heures! Un incroyable carrousel d'émotions. Curieusement, je ne ressens plus aucune colère. Enfin! Tout a l'air de s'arranger et même Ginette paraît vouloir s'adapter, malgré la tournure étrange que prennent ses vacances. En ce qui me concerne, j'en ai vu d'autres. (Tu es d'accord? ☺)

Des fauteuils confortables ne demandent qu'à nous accueillir. Sur des tables basses, des lanternes sont allumées. Je m'assieds, bien décidée à profiter de cette accalmie. Gina ne tarde pas à venir me rejoindre. Je n'en suis pas mécontente.

—On devrait faire quelque chose juste toutes les deux avant d'aller dormir. Ça te dit?

Elle me sourit d'un air encourageant avant de poursuivre:

—J'ai pensé qu'on pourrait demander la permission d'aller *chiller* dans le hall d'entrée, rien que pour observer les clients. Certains sont hilarants. Il y a des visiteurs de partout dans le monde. Je suis persuadée d'avoir entendu parler russe tout à l'heure.

Je ne sais pas pourquoi, j'hésite avant de répondre, détournant le regard vers le Zócalo. Je vais accepter, c'est certain. Et maman, qui connaît toute l'histoire, me donnera volontiers la permission, je n'en doute pas. La vérité, c'est que je m'ennuie de rigoler avec Gina. Notre complicité me manque. Nos fous rires aussi. C'est bien beau de passer du temps de qualité avec ma mère, mais avec ma meilleure copine, ce serait encore mieux. ☺ Après tout, c'est la première fois que j'ai l'occasion de voyager avec Gina. Et puis, je suis lasse des guerres inutiles et des massacres cruels. Ici, maintenant, je me réconcilie pour toujours, c'est décidé ! Forte de cette nouvelle résolution, je prépare mon plus beau sourire pour accepter sa proposition.

En me retournant vers elle, je vois qu'elle est en train de fixer mon poignet gauche. Instinctivement, je le couvre de ma main. Oups ! ☺

—Qu'as-tu fait de ton bracelet ?

Merdouille! Il va me falloir lui mentir, j'en ai bien peur.

—Euh! Je l'ai enlevé pour me doucher et j'ai simplement oublié de le remettre après.

Elle me regarde avec suspicion.

—Tu ne l'enlèves jamais d'habitude.

Son ton accusateur m'agace. Je me sens déjà assez coupable comme ça sans qu'elle en rajoute.

—C'est parce que j'ai échappé de la confiture dessus et qu'il était collant.

Je sais. C'est un mensonge presque éhonté, mais ai-je le choix?

—Vraiment?

Embarrassée, je me tourne vers ma mère, qui est debout à côté de moi.

—Je me suis posé la même question aujourd'hui, dit alors l'auteure de mes jours. Tu n'as pourtant pas pris de douche tout à l'heure, n'est-ce pas?

Non mais, à quoi ça sert d'avoir une mère si elle n'hésite pas à me trahir chaque fois que l'occasion se présente? Décidément, cette journée n'est qu'un long cauchemar qui semble ne jamais vouloir se terminer! ☺

—Je ne peux pas croire que tu sois allée jusque-là pour me punir, murmure Gina. Je n'ai jamais eu de meilleure amie que toi. Que nous arrive-t-il? Que t'arrive-t-il à toi?

Je baisse les yeux, n'ayant pas le courage de soutenir son regard. Que répondre ? J'ai beau me triturer les méninges, il ne me vient que des platitudes. Et puis je n'aime ni me sentir prise en défaut ni avoir mauvaise conscience. La culpabilité fait resurgir mon agressivité.

— C'est pourtant simple, la transparence est la base de l'amitié et tu as trahi cette amitié, Gina.

J'ai peut-être riposté un peu plus durement que nécessaire, mais avais-je le choix ?

Bon, bon, j'ai peut-être (très) légèrement exagéré (encore une fois ?). ☺

Honteuse, je ne peux empêcher le rouge de me monter au visage.

Elle me regarde, incrédule, ouvre et referme la bouche, comme un poisson incapable de respirer alors qu'il est hors de l'eau, et laisse échapper une sorte de râle. Soudain, la voilà qui explose en bondissant de son fauteuil.

— Tu pousses le bouchon trop loin, Juliette Bérubé ! Ça a assez duré ! Tu es complètement dans les patates, ma pauvre. C'est la confiance qui est à la base de l'amitié. Si je ne t'avais pas parlé de ce baiser, c'était justement pour éviter ce genre de crise totalement typique de ton caractère aussi égocentrique que soupe-au-lait, ton imagination complètement débridée, ta mauvaise foi et ton cruel déficit de confiance, en toi et en tes amis !

😮

(Tu as entendu ça ?)

— Comment OSES-TU ?

J'ai hurlé, je l'avoue. Je suis FURIEUSE tout à coup !

(Quoi ? Hein ? Me calmer ? Me rappeler les guerres inutiles et les massacres cruels, dis-tu ? Okay, okay. Je respire. Ommm !)

En attendant, Gina, elle, continue. Apparemment, les digues ont lâché.

— Tout d'abord, sache que tu n'as rien à reprocher à Gino puisque c'est moi qui l'ai embrassé et non pas le contraire. Je l'ai vraiment pris par surprise.

— Comment ça ?

— C'était l'époque où on venait de le rencontrer. Toutes les deux, on le trouvait mignon sans savoir à laquelle de nous deux il s'intéressait. C'était aussi et surtout l'époque où Mathis Arseneault me courait après. Je n'osais pas lui dire qu'il ne m'intéressait pas, de peur de lui faire de la peine. Tu te souviens ?

— Euh, vaguement, oui.

— La seule excuse que j'ai pu trouver, ça a été de lui mentir en affirmant que je sortais déjà avec

Gino. Il ne m'a pas crue, évidemment. Alors, comme Gino passait dans le coin, je l'ai agrippé par le bras et j'ai crâné en l'embrassant devant Mathis.

— Et il a réagi comment ?

— Ça n'est pas très bon pour mon ego, mais je dois avouer qu'il n'a pas eu l'air de trouver ça très agréable. Ça l'a mis super mal à l'aise. Je l'étais moi aussi, alors je suis rapidement partie sans demander mon reste.

— Mais pourquoi ne pas m'en avoir parlé ?

— J'avais honte de t'avouer que j'avais pris l'initiative d'embrasser un garçon. Et j'étais d'autant plus honteuse du fait de sa réaction qui n'avait pas été… comment dire, très valorisante. Tout ce que je souhaitais, c'était d'oublier cette histoire. La vérité, c'est que Gino te voit dans sa soupe depuis son premier jour à notre école. Il n'y a que toi qui ne le sais pas ou qui ne veux pas le savoir !

— Hum…

Elle croise les bras sur sa poitrine.

— Que tu puisses seulement imaginer que toute cette histoire était CONTRE toi relève de la plus pure paranoïa et témoigne d'un manque total de maturité. Faudrait que tu grandisses !

Holà, c'est à son tour d'y aller trop fort là. Moi qui m'apprêtais à lui donner l'absolution, elle vient de tout gâcher! Je vais lui en faire de la «paranoïa» et un «manque total de maturité». ☺

Je saute aussi sur mes pieds.

—Bon ben, je n'ai décidément plus rien à faire avec toi, Gina Tremblay! Retourne donc dans ta chambre toute seule avec ta mère. Je trouverai à m'occuper de mon côté.

Me drapant dans le peu de dignité qui me reste, je tourne les talons et décide de descendre deux par deux les marches du grand escalier pour ne pas avoir à partager l'ascenseur.

22 H

Bang!

Je suis super énervée alors j'ai claqué la porte derrière moi. Ça ne soulage pas, mais ça permet d'extérioriser le méchant.

—La situation ne s'est pas améliorée avec Gina… constate maman, lorsqu'elle me rejoint.

—Pas vraiment, non, grommelé-je, les dents serrées.

—Je suis certaine que ça ira mieux demain. Ne t'en fais pas.

—C'est ça.

Grrrr! (En tout cas, ça ne pourra pas être pire qu'aujourd'hui, à moins que je ne décide de sacrifier Gina en la jetant en bas d'une pyramide, comme le faisaient les Aztèques avant moi...) ☺

Lundi 11 janvier

8 H

Réveillées à l'aube, maman et moi avons décidé d'aller faire un tour au marché après le petit-déjeuner, estimant avoir amplement le temps de revenir à l'hôtel pour le départ de notre excursion à Teotihuacán, prévu à neuf heures trente.

En voyage, nous aimons particulièrement visiter les marchés publics parce que c'est la meilleure façon de sonder l'ambiance d'un endroit et d'établir un premier contact avec la population locale.

Tous les matins, les paysans viennent proposer leurs produits frais sur le Zócalo. La plupart sont des *Indios*[1], et la majorité sont des femmes.

Il y a foule ! Il y a tellement de monde qu'il est difficile de nous frayer un chemin dans le dédale des petites rues s'éloignant de la grande place.

---

1. Des Indiens.

Maman, qui se méfie autant des kidnappeurs que des pickpockets, me tient fermement la main. J'ai l'impression d'avoir trois ans, peut-être bientôt quatre... 😣

Le *mercado*[2] est une fête pour les sens. Les couleurs, les odeurs et les textures s'entremêlent en un véritable kaléidoscope. J'aime! 😊 Je veux tout acheter et tout goûter même si, dorénavant, je me méfie... Ne t'inquiète pas, j'ai compris! 😊

Ce que je préfère par-dessus tout, c'est observer les gens occupés à tâter et soupeser la marchandise, les écouter discuter avec les marchands, négocier les prix. C'est presque un spectacle en soi et je ne m'en lasse pas. Certains négoces fonctionnent mieux que d'autres. Par exemple, la nourriture et les choses utiles à la cuisine se vendent beaucoup mieux que les poupées de chiffon et autres produits d'artisanat destinés aux touristes, qui ne sont pas légion à cette époque de l'année.

—Regarde, m'man, on dirait la dame qui vendait des poupées et des ballons avec ses enfants sur le seuil de la cathédrale hier après-midi.

Elle se détourne pour regarder dans la direction que je lui indique.

---

2. Marché.

—Ne montre pas du doigt, chérie, c'est très impoli. Cette dame ressemble beaucoup à celle que nous avons vue, en effet, mais je ne crois pas que ce soit la même. J'ai bien peur qu'elles soient des milliers à tenter de survivre en offrant ce type de souvenirs. Ces femmes qui vendent principalement dans les rues sont des Otomis.

—Oto-quoi ?

—Otomis. Le mot désigne un groupe linguistique autochtone. La plupart sont nées à la campagne. Elles viennent à Mexico dans l'espoir d'améliorer leur sort et gagnent leur vie en vendant ces poupées qu'elles fabriquent elles-mêmes. Elles sont très pauvres, à peu près pas scolarisées et leurs enfants ne vont pas à l'école non plus.

—Sincèrement, je pense qu'il s'agit de la même famille parce que je reconnais le petit chapeau rose dont est coiffé le bébé et la fillette est chaussée des mêmes espadrilles. De plus, elle ne me quitte pas des yeux. Exactement comme hier…

—Tu veux que je t'offre une de ces poupées ?

Je hoche la tête, un peu mal à l'aise.

—Puisque c'est pour une bonne cause, j'aimerais bien, oui.

—*Buenos días, señora. Sus menecas son muy bonitas. ¿ Cuánto cuestan ?* demande maman.

Ça veut dire : « Bonjour madame ! Vos poupées sont bien jolies. Combien coûtent-elles ? »

Je choisis la plus belle, c'est-à-dire une de celles avec des rubans multicolores dans ses cheveux de laine. Elle a un corsage mauve, une jupe orange et un petit tablier en dentelle blanche. ☺

— Les enfants et les adolescents sont les principales victimes de la pauvreté au Mexique, m'apprend maman en me tendant mon présent. Les enfants d'origine indigène sont malheureusement les plus touchés[3].

8 H 30

Nous poursuivons notre visite, mais voilà que j'ai une poupée à la main. Embarrassant ! La dame n'avait pas de sac pour l'emballer, alors j'ai l'air d'un vrai bébé ! ☺ Maman a payé le prix demandé, sans marchander. J'ai même l'impression qu'elle a arrondi la somme. De mon côté, j'ai tenté un sourire et un signe de la main en direction de la fillette. Mais celle-ci a baissé les yeux. Elle s'est cachée derrière sa mère. Je crois qu'elle était intimidée. J'aurais voulu lui dire quelque chose

---

3. Selon l'Unicef, naître au sein d'une famille autochtone accroît sérieusement la probabilité de connaître une profonde détresse sociale. Triste, non ?

en espagnol, mais les mots ne sont pas venus. Dommage. Tandis que nous nous éloignons, j'ai le vague sentiment d'avoir raté une occasion. ☹

Un peu plus loin, un étal propose des cactus comestibles. Le commerçant m'offre d'y goûter, mais j'ai un mouvement de recul! Euh... Je n'ose pas. Les piquants ne vont-ils pas se planter dans ma langue? 😬 (J'ai gardé un assez mauvais souvenir du piment fort, pourtant inoffensif en apparence, avec lequel j'ai failli m'étouffer hier soir, alors je me méfie, tu vois.)

Maman m'explique que ce sont des nopals. Les parties arrondies, qui rappellent la forme de nos raquettes, sont facilement détachables du tronc principal et sont comestibles. De plus, il semble que ce soit très nutritif.

Ça se mange cru, en salade, par exemple, mais il paraît que c'est également délicieux grillé au barbecue. Pour ma part, j'avoue que je préférerais la seconde option et, dans tous les cas, j'aimerais mieux y goûter lorsque la plante est jeune et qu'elle n'est pas encore couverte de toutes ses épines. 😊

—Quoi qu'il en soit, il doit être rudement important ce cactus parce qu'il figure sur le drapeau mexicain, remarqué-je.

—Mais c'est que tu as raison! Je n'avais pas fait attention. Bravo!

Bien sûr que j'ai le sens de l'observation, pensé-je. Et puisqu'elle en parle, j'ai encore une fois l'impression qu'on nous espionne depuis que nous avons quitté l'hôtel. ☺

Je comprends qu'il est normal que nous attirions l'attention, mais j'ai un drôle de pressentiment. C'est une sensation diffuse et difficile à décrire. Tu sais, quand tu n'as pas de preuve à l'appui, mais que ton petit doigt te dit qu'il se passe quelque chose d'anormal ? (Ça t'est déjà arrivé ? C'est un peu inquiétant, non ?) Il est vrai que ça ne déborde pas de touristes par ici, ce matin. Peut-être suis-je un brin parano... Lorsque je me détourne, je ne vois rien. Enfin, disons que je vois plutôt des dizaines de paires d'yeux posés sur maman et moi, mais que je ne discerne rien en particulier qui puisse me permettre de sonner l'alarme. À moins que... À deux reprises, au moins, j'ai eu l'impression d'entendre un « pssst ! » discret et d'être légèrement frôlée. À nouveau des gamins malpolis désireux de me draguer ? ☻

Je hausse les épaules. De toute façon, j'ai autre chose de pas mal plus important en tête.

— Dis, m'man, tu m'achèterais un de ces *huipils* comme celui de Gina ?

— Pour quoi faire ?

En voilà une question ! ☺

—Ben, parce qu'elle en a reçu un et pas moi, c't'affaire !

—Je comprends, mais en as-tu vraiment besoin, pitchounette ? Je veux dire, si je suis ton raisonnement, tu ne veux cette tunique que parce que tu es envieuse... N'est-ce pas discutable ?

—Ben là... On en a les moyens ou pas ? Tu n'as pas envie d'en avoir une toi aussi ? Avoue qu'elles sont trop jolies ! ☺

À neuf heures, nous rebroussons chemin après nous être acheté chacune la plus jolie des tuniques en vente dans ce marché. Et juste pour nous faire plaisir, en plus ! ☺ Nos paquets à la main, nous pressons le pas vers l'hôtel pour ne pas risquer de rater le bus qui doit nous emmener en dehors de la ville. En repassant devant le stand où nous avons acheté ma poupée, je remarque que la fillette de tout à l'heure n'est plus auprès de sa mère...

11 H

À la réception de l'hôtel, nous avons réservé un forfait incluant le transport en autocar de luxe vers la vallée de Teotihuacán, située à environ cinquante kilomètres du centre de Mexico, et les droits d'entrée pour quatre personnes. Après un

113

trajet de plus d'une heure, nous découvrons la ville fantôme la plus étrange qu'il soit possible d'imaginer.

Nous sommes à peine descendues du bus que maman nous fait déjà la lecture commentée de son guide touristique.

— Le nom Teotihuacán signifierait "lieu où les hommes deviennent des dieux" ou encore "cité des dieux", récite-t-elle.

Normalement, ça m'agace royalement, mais ce matin, comme je suis toujours en froid avec Gina, ça m'arrange parce que m'intéresser aux propos de ma mère me permet d'avoir l'air très occupée...

— Il y a des vestiges de pyramides abandonnées un peu partout sur le territoire mexicain. C'est une véritable mine d'or pour les archéologues amateurs et professionnels, poursuit-elle. Mais ce site est sans doute le plus impressionnant de tout le pays.

Il y a en effet deux grandes pyramides encore debout, dont une vraiment gigantesque, flanquées de plusieurs petites.

— Elles ont été bâties par les Aztèques ? demandé-je.

— Non, justement. Les pyramides de Teotihuacán ont été construites quelques siècles avant l'ère chrétienne. Il paraît qu'elles étaient déjà abandonnées depuis longtemps lors de l'arrivée des Aztèques dans la région. La vérité, c'est que l'on ne sait à peu près rien du peuple qui les a bâties. On ne connaît ni son origine, ni son mode de vie, et on sait encore moins comment il a disparu. On pense qu'il s'agissait des Toltèques, sans en être certain.

—Wow! Que de mystère!

—On dit d'ailleurs que les Mexicas croyaient que la cité avait été construite par des géants et que c'est pour cette raison qu'ils s'y sont établis. À son apogée, on estime qu'elle avait une superficie totale de quarante kilomètres carrés et qu'entre cent cinquante mille et deux cent cinquante mille personnes y ont habité. Aucune autre ville n'avait encore atteint, à l'époque, un tel degré de raffinement dans son développement urbain et son architecture. De chaque côté de cette large avenue, la traversant de part en part, il y avait de nombreux édifices dont les murs étaient ornés de peintures multicolores et de sculptures d'animaux, de guerriers et de dieux. Les ruines de Teotihuacán sont restées enfouies sous une épaisse couche de terre et de végétation pendant plus de mille ans avant qu'on ne les découvre à nouveau. Les Aztèques l'avaient fréquentée et en avaient fait un lieu de culte à une certaine époque, mais Cortés ne lui a prêté aucune attention. Cela a eu pour conséquence que le site n'a été redécouvert et n'a commencé à être exploré qu'à partir du XIXe siècle. Malheureusement, les fouilles n'ont pas exactement été faites dans les règles de l'art.

— Dommage qu'il ne reste que de la pierre grise, laissé-je échapper. Si ce n'est de ces pyramides encore debout, il est difficile d'imaginer à quoi a pu ressembler cette cité et comment les gens y vivaient.

— La majeure partie du site a brûlé au VIIe siècle, répond maman. Puis, à la fin du XIXe siècle, des archéologues peu scrupuleux l'ont pillé et endommagé davantage. Les pyramides mises à part, il ne reste aujourd'hui que cette route qu'on appelle l'Avenue des Morts, la Calzada de los Muertos, avec les bases en maçonnerie de ce qui devait être des immeubles d'habitation et, en enfilade à droite, respectivement le temple dédié à Quetzalcóatl, le légendaire dieu représenté sous la forme d'un serpent à plumes, l'immense pyramide dédiée au dieu Soleil, au centre, et tout au bout la pyramide de la Lune.

Maman ne manque pas de nous rappeler que le sang a coulé en abondance par ici, même si Cortés n'a rien à y voir. Le sacrifice humain y est demeuré populaire pendant pas mal de temps.

—Est-il utile de continuellement le mentionner? demande Ginette, en grimaçant. C'était il y a tellement longtemps. Aujourd'hui, avec tous ces autobus qui amènent des touristes, ça ressemble plutôt à un parc d'attractions...

—Je me demande si c'est vraiment le cas, répond maman. Je veux dire, on ne jette plus les gens en bas des édifices après leur avoir arraché le cœur, mais ne le fait-on pas d'une autre façon? En condamnant certaines couches de la population à la pauvreté, par exemple.

Ginette hausse les épaules. Moi, je me demande bien ce que ma mère peut vouloir dire. Elle parle par énigmes parfois. En tout cas, j'ai l'impression d'avoir été catapultée dans une autre dimension tellement ces immenses pyramides sont HALLUCINANTES!

—Le terrain est en dénivelé, ce qui fait que les deux pyramides semblent être à la même hauteur, même si elles sont de tailles différentes, remarqué-je.

—Tu as raison! répond Gina.

—Troublant, non? On dit qu'à l'origine les pyramides étaient revêtues de stuc et peintes de couleurs vives, commente maman.

J'ai peine à m'imaginer ce que ça pouvait être de vivre ici. Penser qu'il y avait déjà des familles, avec des mamans, des papas et des enfants, me semble un peu surréaliste. Comment vivaient-ils ? Que mangeaient-ils ? Les enfants allaient-ils à l'école ? À quoi s'amusaient-ils s'il n'y avait ni jeux vidéo, ni boîtes de carton... ☺

— Il y a des pyramides similaires à celles-ci en Égypte, non ? demande Gina.

— C'est intéressant que tu soulèves ce point, choupinette, parce que la conception du site suggère justement que les architectes avaient des connaissances assez poussées en mathématiques, comme les anciens Égyptiens.

Non mais, je rêve ou ma mère vient véritablement d'appeler Gina « choupinette » ? ☹

— Mais ce qui est le plus troublant, poursuit-elle, c'est que la grande pyramide de Khéops, à Gizeh, et la pyramide du Soleil, qui est ici, ont une base d'à peu près la même taille, soit deux cent trente mètres carrés environ, mais que la pyramide du Soleil est tout de même deux fois moins haute.

— Comme si les architectes s'étaient concertés ? demande Gina.

— Exactement.

Bon, bon, bon. Ma mère et Gina sont faites pour s'entendre, apparemment. La belle affaire !

—On y va? demandé-je en me tournant vers Ginette.

—Oh moi, tout ce que je veux, c'est faire le tour rapidement et retourner à l'hôtel. Avec ce soleil qui nous tape sur la tête, j'espère surtout qu'il y aura un comptoir de rafraîchissements quelque part.

Misère! 😵

Plus on approche de la pyramide du dieu Soleil, plus elle paraît gigantesque. Je suis super impressionnée. En même temps, j'ai envie de me dégourdir les jambes et ces vieilles pierres m'attirent comme un aimant. Gina a apporté de quoi crayonner. Elle fait des croquis de tout ce qui nous entoure.

N'importe quoi pour se rendre intéressante, pensé-je avec mauvaise humeur. Elle chante, elle danse et elle dessine. Tandis que moi, je ne sais apparemment pas faire grand-chose. Je suis sportive pourtant et assez bonne grimpeuse, ça c'est vrai.

—Je monte là-haut, annoncé-je.

—Je t'accompagne! s'enthousiasme Gina.

😵 Faisant mine de ne pas l'avoir entendue, je m'adresse directement à ma mère:

—Tu viens avec moi, m'man?

—Je veux bien essayer. Tu viens aussi Ginette?

—Pas question que je grimpe là-haut! Nous devions aller sur les plages de Puerto Vallarta,

rappelez-vous, alors je n'ai pas apporté de chaussures d'escalade.

— La première arrivée en haut gagne un porte-
clefs en forme de sombrero offert par la dernière !
lancé-je en m'élançant sans attendre, Gina sur les
talons.

— Attendez-moi ! crie maman.

La montée est plus laborieuse qu'il n'y paraissait de prime abord. C'est que les marches de la
pyramide n'en sont plus vraiment. Avec le temps,
les énormes briques rectangulaires se sont dété-
riorées et les bords sont dorénavant très irrégu-
liers ou s'effritent, carrément. De plus, l'espace
pour poser le pied n'est pas profond, ce qui fait
qu'il faut monter de côté. Il semblerait que les gens
qui l'ont construite n'aient utilisé aucun scellant
et que les pierres aient simplement été posées en
appui les unes sur les autres. Çà et là, plusieurs
sont d'ailleurs manquantes. Et puis, c'est rudement haut ! Après quelques dizaines de mètres, ma
mère déclare forfait :

— Je suis désolée, ma puce, mais cette montée
est un peu trop abrupte pour moi. De plus, j'ai le
souffle court à cause de l'altitude, je ne veux pas
risquer d'avoir un étourdissement. Amusez-vous
bien, les filles, mais soyez prudentes.

— Lâcheuse. Reste avec nous ! ☺

Mais elle ne m'écoute pas. Me voilà donc seule avec Gina. ☺ Nous continuons notre ascension sans échanger la moindre parole.

Cette pyramide est là depuis si longtemps que les mauvaises herbes ont fini par prendre racine entre les pierres. C'est fou! ☺ Ça n'empêche pas certaines pierres de se détacher et de dégringoler jusqu'en bas. Il nous faut donc être vigilantes. De peur de perdre pied, de nombreux touristes abandonnent d'ailleurs avant d'atteindre le sommet. Pas question de les imiter, cependant.

Une fois là-haut, Gina et moi ne sommes pas peu fières. Nous avons gagné la course ex æquo! Dommage que nous n'ayons pas apporté de petit drapeau à planter au sommet... ☺ Satisfaites, nous nous asseyons pour profiter de la vue. Malheureusement, la spontanéité nous fait toujours défaut et un silence pesant ne tarde pas à s'installer. Gina commence donc à faire des croquis sans plus s'occuper de moi. Mine de rien, j'étire un peu le cou pour voir. C'est vrai qu'elle dessine super bien!

Ouf! Le soleil cogne dur sur nos têtes et, comme il n'y a aucun point d'ombre, il fait vraiment très chaud!

—Hum! Bon ben, je pense que je vais redescendre, moi, annoncé-je en me relevant.

—Je te suis! dit Gina en se redressant à son tour, son calepin toujours à la main. Attends-moi!

—Dépêche-toi, fais-je, en me retournant.

Oups! En posant le pied sur une marche particulièrement inégale, Gina perd l'équilibre et penche dangereusement vers l'avant. 🕸 Son calepin et son crayon tombent de ses mains. Je les vois s'envoler et effleurer une ou deux fois les arêtes coupantes de quelques pierres avant d'aller atterrir plusieurs mètres plus bas. Elle roule des yeux effrayés et tente de conserver son équilibre en effectuant de larges moulinets avec ses deux bras. Elle va tomber!! Naoon!

—Ginaaaa!

Le cri m'a échappé en même temps que je me suis précipitée pour la rattraper en l'agrippant fermement par son chandail. Il était temps, parce que une seconde de plus et ma précieuse *best*, ma complice de tous les instants, allait s'écraser en bas après s'être rompu le cou sur les marches. L'espace d'un millionième de seconde, j'ai vu notre relation se dérouler sous mes yeux et j'ai tout compris. 🕸

—*OMG!* Gina! Fais attention où tu mets les pieds, la grondé-je. Tu viens de passer à deux doigts de dégringoler de cette pyramide et de te tuer. Tu te rends compte de la peur que tu m'as faite ?

Son visage exprime plus d'étonnement que de frayeur.

— Tu m'as retenue ? fait-elle.

La vérité vraie, c'est que j'aurais pu la perdre à tout jamais, alors que je l'AIME TELLEMENT ! ☺

La serrant dans mes bras, je réponds :

— Évidemment que je t'ai retenue, banane ! J'ai eu tellement peur ! Si tu étais tombée, jamais je ne me le serais pardonné. Il n'existe pas de meilleure amie au monde que toi. Le sais-tu ? Sérieux, je t'aime comme une sœur.

— Pour vrai ?

— Mets-en, pour vrai !

Les larmes aux yeux, nous tombons dans les bras l'une de l'autre, riant et pleurant tout à la fois.

— Je te retrouve enfin, Jules ! Oh, tu m'as tellement manqué ! Pardon pour le chagrin que je t'ai causé.

— Non, c'est moi qui m'excuse pour mon attitude. Je me suis montrée tellement stupide et intransigeante.

Elle lève les yeux en l'air.

— Cette façon qu'ont les gens de s'excuser eux-mêmes plutôt que de demander pardon m'a toujours tapé sur les nerfs ! dit-elle.

—Hein ?

Je la regarde, interloquée.

Puis nous éclatons de rire.

—Ce ne serait pas une de mes plus célèbres répliques, ça ?

—Il fallait voir ta tête ! Ça valait un million de pesos, minimum ! 😂

—Ha, ha, ha, ha, ha !

Soulagée, je réalise à ce moment précis que jamais rien, quelles que soient les circonstances, ne pourra me séparer vraiment de ma meilleure amie. Maman a raison, au firmament des sentiments les plus nobles brillent l'amitié et la solidarité. Ils sont la *chispa de la vida*, «l'étincelle qui rend la vie plus belle, plus pétillante[4]». ☺

15 H 45

L'après-midi tire à sa fin lorsque nous rentrons à l'hôtel. Excitée par mes retrouvailles avec ma *best*, je n'ai pas du tout envie de monter faire la sieste avec maman avant de sortir pour le souper. Gina et moi demandons plutôt la permission de

---

4. Dans les années 1980, *La chispa de la vida* était le slogan publicitaire utilisé en Amérique latine par une compagnie de cola très populaire.

rester jaser dans le hall où des fauteuils confortables sont mis à la disposition des clients. J'ai mille et une choses à lui dire ! ☺

— Tu as parlé à Gino depuis notre départ ?

— Non, répond-elle avec une expression de surprise. Je ne vois pas pourquoi. Et toi ?

— Non.

— Mais pourquoi ?

Je hausse les épaules.

— Un petit *break* de temps en temps, ça ne fait pas de mal. Tu ne trouves pas qu'on perd parfois trop de temps à penser aux garçons alors qu'il y a des tas d'autres choses plus importantes ou intéressantes à faire ? avance Gina.

— Tu as peut-être raison. C'est fou ce qu'il y a à voir ici, en tout cas, approuvé-je.

— C'est malade, non ? Aujourd'hui, on se serait carrément crues au cœur d'un film d'Indiana Jones.

— C'est clair ! Il paraît que chaque année des milliers de personnes célèbrent l'arrivée de l'équinoxe du printemps à Teotihuacán, raconté-je. Faudra revenir pour voir ça.

— Ils font ça comment ?

— En escaladant la pyramide au lever du jour, vêtus de blanc, les mains en l'air afin de recevoir les premiers rayons du soleil. Il semblerait que cette position attire l'énergie. Malade, non ?

Mais Gina ne m'écoute plus, son attention étant dirigée ailleurs.

— Gina ?

— Regarde, c'est encore lui ! dit-elle.

— Lui qui ?

— Le petit chien d'hier après-midi ! Derrière toi.

— Quoi ?

Je me retourne juste à temps pour voir l'animal se faufiler par une porte entrouverte, à gauche du comptoir de la réception. Je remarque qu'il s'agit d'une cage d'escalier. Sans doute un escalier de service réservé aux employés qu'on ne croise d'ailleurs jamais… Quant au chien, on dirait un jeune labrador brun, mais…

— Tu as remarqué qu'il semblait ne pas avoir de poils ? demandé-je.

— Il m'a paru un peu bizarre aussi. Comme les chats de la race des sphynx ? Son dos avait l'air aussi doux que de la soie.

— Peut-être que son poil est super ras.

— Je n'avais encore jamais vu un chien comme celui-ci. J'aurais bien aimé le caresser, ajoute Gina.

— Il a grimpé l'escalier caché derrière cette porte. Je ne pense pas qu'on nous laissera y monter, même si on demande la permission.

— Hum, t'as raison.

— Mais si personne ne nous voit monter, personne ne pourra nous l'interdire, insinué-je.

Gina me regarde avec surprise d'abord, puis avec un large sourire.

— Ça c'est certain. Si je comprends bien, tu proposes…

— De partir en mission.

— Tope-là, fait-elle en me présentant sa paume droite.

— Tope-là !

16 H

Sur les trois premiers étages, l'escalier ne donne que sur des portes fermées. Aucune trace du petit chien nu. Puis, tout en haut, nous découvrons une porte entrouverte qui débouche… sur la terrasse ! ☺

— Dis donc, on dirait l'entrée de service de la terrasse où nous étions hier soir ! lance mon amie en mettant le pied dehors. J'ai hâte de voir la vue sur la grande place en plein jour !

— Je dirais que nous sommes un étage plus bas et du côté opposé. Regarde, nous avons une vue sur la ruelle à l'arrière de l'hôtel, constaté-je.

— Hum, bizarre…

— *Hola*, risqué-je. *¿ Hay alguien*[5] *?*

Autour de nous, il y a des dizaines de draps de lit en train de sécher sur des cordes à linge et, tout au fond, j'aperçois une dizaine de machines en train de tourner.

— *¡ Hola !* dit une voix derrière moi, me faisant sursauter.

— Euh ! *Hola*, répété-je en me retournant.

Deux jeunes Indiennes se tiennent devant nous. Elles portent des tabliers sur leurs *huipils*. Difficile de leur donner un âge. Elles sont plus petites que Gina et moi, mais elles semblent quand même un peu plus âgées.

— *¿ Quienes son ustedes*[6] *?* demande la plus près de nous.

— Qu'est-ce qu'elle dit ? s'enquiert Gina, intimidée.

— Elle demande qui nous sommes, chuchoté-je à son oreille. Je réponds quoi ?

— Ben, la vérité. Nous sommes des clientes de l'hôtel et nous avons vu un petit chien s'engouffrer dans la cage d'escalier.

Je me gratte le dessus de la tête, essayant de trouver comment dire tout cela, pendant que les

---

5. — Il y a quelqu'un ?
6. — Qui êtes-vous ?

deux jeunes filles continuent de nous regarder avec un mélange de curiosité et de frayeur.

— Je veux bien, bredouillé-je, mais je crains que mon espagnol ne soit pas assez bon pour dire tout cela.

Prenant mon courage à deux mains, je tente un raccourci.

— *Estamos buscando el perrito. ¿ Saben ustedes dónde está*[7] *?*

Elles n'ont pas le temps de répondre que le plus étrange représentant de l'espèce canine qu'il m'ait été donné d'observer fait irruption devant nous.

« Wouaf ! Wouaf ! » aboie-t-il avec enthousiasme en mettant ses pattes sur les jambes de Gina.

— *¡ Quédese tranquilo, Xolo*[8] *!* dit la seconde jeune fille.

Mais ma copine n'est pas le moins du monde apeurée par l'excitation joyeuse de l'animal, bien au contraire. Gina adore les chiens ! Il faut dire que celui-ci est particulièrement mignon, et gentil comme tout. Il a une longue queue qu'il remue en tous sens avec bonne humeur.

— *¿ Se llama Xolo*[9] *?* demandé-je.

_____

7. — Nous cherchons le petit chien. Savez-vous où il est ?
8. — Tiens-toi tranquille, Zolo !
9. — Il s'appelle Zolo ?

Elle sourit en hochant la tête.

—*Sí. Y soy Adela*[10], dit-elle, en plaçant une main sur sa poitrine.

—*Soy Yalitza*, dit l'autre.

Je ne peux pas croire que je suis en train d'avoir une conversation rien qu'en espagnol avec deux filles de mon âge, pensé-je, ravie. Je rêve ! 😊

—*¿ Cuántos años tiene*[11] *?* me hasardé-je.

—*Ten meses.*

—Que disent-elles ? demande Gina en se redressant.

—Elles se nomment Yalitza et Adela et le petit chien, Zolo. Il a dix mois.

—*¡ Que bonito*[12] *!* s'exclame à son tour mon amie qui ne demande pas mieux que de participer à la conversation.

—*¿ Están clientes del hotel ?* Vous êtes clientes de l'hôtel ? demande Yalitza.

—*Sí*, répond Gina, en hochant la tête pour être plus claire.

Les deux heures suivantes sont parmi les plus étranges que j'aie vécues. À force de gestes et en faisant des efforts immenses pour faire remonter

---

10. — Oui. Et je suis Adela.
11. — Quel âge a-t-il ?
12. — Qu'il est beau !

à la surface les quelques mots d'espagnol appris à La Havane[13], j'arrive non seulement à communiquer, mais aussi à traduire pour Gina lorsqu'elle ne comprend pas. Il faut dire que Gino[14] nous a aussi fait répéter quelques phrases-types avant notre départ et que, de leur côté, les filles nous offrent un cours de langue en accéléré, pointant tous les objets se trouvant autour de nous pour les nommer.

—*Éstas son sábanas de algodón*[15].

—*Y esto es un jabón*, en montrant le savon à lessive. *Y eso un vaso de agua*, en montrant un verre d'eau.

Nous apprenons aussi que Yalitza a un an de plus qu'Adela, c'est-à-dire qu'elles ont respectivement quinze et quatorze ans, et qu'elles ne vont plus à l'école puisqu'elles travaillent à l'hôtel pour donner un coup de main à leurs familles qui ont grand besoin de ce revenu supplémentaire. Et elles travaillent dur, c'est évident.

—*¿ Desde que hora están aquí, en el hotel, cada mañana ?*

---

13. As-tu lu *Juliette à La Havane* ?
14. Gino, le copain de Juliette, est né en Argentine avant d'émigrer au Canada. L'espagnol est donc sa langue maternelle.
15. — Ce sont des draps en coton.

« Depuis quelle heure êtes-vous ici, à l'hôtel, chaque matin », demandé-je maladroitement.

— *Trabajamos de la siete de la mañana a las seis de la noche*[16], répondent-elles.

Elles sont là du lever du jour jusqu'à la tombée de la nuit ! 😔 Et j'ai bien peur que nous ne soyons en train de leur faire perdre un temps précieux.

Désireuses de nous rendre utiles, Gina et moi retirons et plions sommairement les draps suspendus, avant de les tendre aux jeunes filles qui doivent les repasser avant de les plier pour de bon. Et ce n'est pas tout. Il n'y a pas moins de dix lessiveuses automatiques et de huit sèche-linge, sur ce toit. En plus des draps, il y a des serviettes, des uniformes et même de la lessive donnée par les clients. Je ne peux pas croire que ces tâches constituent l'essentiel de leur quotidien. Avec le nombre de chambres qu'il y a dans cet hôtel, le travail est colossal ! 🙀

Qu'à cela ne tienne, la jolie Adela chante en repassant. Non seulement elle a une très jolie voix, mais elle est gracieuse et très expressive. L'écouter est un pur enchantement. Au Québec, elle pourrait très certainement tenter sa chance aux auditions

---

16. — Nous travaillons de sept heures du matin à six heures du soir.

de l'émission *La Voix* et peut-être même gagner et devenir célébrissime ! 😄

Quant à Yalitza, il semble qu'elle adore enseigner. Elle est vive, intelligente et curieuse. Je suis persuadée qu'elle aimait fréquenter l'école. Employée d'hôtel, c'est très bien, mais peut-être serait-elle mieux à sa place dans une profession requérant des aptitudes qu'elle n'aura jamais la chance de développer ici. Je ne sais que penser.

Évidemment, elles sont encore bien jeunes et à notre âge, rien n'est encore décidé. Même moi je n'ai pas la moindre idée du métier que je veux exercer lorsque je serai grande, mais je doute sérieusement de devoir me résigner à faire des lessives...

Contre toute attente, nous passons un super bon moment sur ce toit. Parfois, l'amitié naît de façon totalement spontanée. Comme un miracle ! ☺ Ça avait été le cas entre Gina et moi, il y a deux ans, et le phénomène se reproduit aujourd'hui avec Adela et Yalitza. Malgré nos différences, il est clair que le courant passe entre nous quatre. Notre complicité est évidente et nous travaillons en parfaite harmonie. Presque comme quatre sœurs.

Les tâches accomplies, c'est à regret que Gina et moi devons redescendre. Les filles doivent remettre les paniers à linge aux femmes de chambre et il est préférable que personne ne nous surprenne avec elles. Les larmes aux yeux, nous nous faisons autant de câlins que si nous avions lié connaissance il y a dix ans. ☹

18 H

— Juliette ! Où diable étais-tu donc passée ? Je commençais à m'inquiéter. J'allais justement descendre à la réception voir si on t'avait vue ou si tu t'étais attiré des ennuis.

— Comment ça, des ennuis ?

— Ben, tu sais, tu as un peu tendance à te mettre les pieds dans le plat, parfois.

— Moi ? Je ne vois ni quand ni comment. Parle plutôt pour toi. ☺

— Tu as fait quoi pendant ce temps avec Gina ?

Avec moult détails, je raconte tout à maman.

18 H 15

— Les pauvres enfants ! C'est terrible de devoir travailler si fort. J'ai lu quelque part que l'école n'est obligatoire que jusqu'à la fin du primaire ici. C'est-à-dire jusqu'à l'âge de 12 ans. Sans éducation, je crains malheureusement qu'elles ne puissent réellement espérer un meilleur avenir.

— C'est incroyablement injuste !

— Je sais, ma pitchounette, tu as raison. Les familles de ces jeunes filles avaient sans doute besoin de l'argent supplémentaire que rapporte ce travail.

Je suis bouleversée, je dois l'avouer. Soudain, j'ai l'impression d'être submergée par l'intensité des émotions de la journée. La fatigue ? L'altitude ? La frayeur que j'ai eue de perdre Gina ? La compassion pour la situation d'Adela et de Yalitza ? Quoi qu'il en soit, je me noie dans les sanglots. Et maman, qui comprend tout, tout le temps, m'ouvre ses bras.

— Allez, viens là.

20 H

C'est notre dernière soirée à Mexico. Nous avons mangé dans notre chambre étant donné qu'il faut se lever avant l'aube.

Appuyée au garde-corps de notre balcon, je regarde le joyeux va-et-vient sur le Zócalo. Les gens ont l'air heureux, en particulier les enfants ! Chaussures aux pieds ou pas, ils s'amusent, se taquinent, se courent après en poussant de petits cris stridents. Cette formidable faculté qu'ont les petits de s'adapter à toutes les situations et de continuer à rire malgré l'adversité m'a toujours épatée. C'est à l'âge adulte que les choses se gâtent, trop souvent.

— Allez, mon cœur, il faut préparer les bagages. Demain, tes vacances t'attendent! dit maman.

Se peut-il que ça se termine comme ça? Qu'après ce court détour par Mexico, nos vies reprennent simplement comme avant? Que Gina et moi irons à la plage et que tout ce que nous avons vu ici soit bientôt oublié? Je n'y crois pas.

Mardi 12 janvier

4 H 45

Quelque chose m'a réveillée. Le cadran de voyage de maman indique quinze minutes de moins que l'heure prévue pour la sonnerie.

— Juliette ? Tu es réveillée ?

— Oui, mais je ne sais pas pourquoi… Il est déjà l'heure de nous préparer ?

— Il y a eu une petite secousse sismique.

Je m'assieds dans mon lit, incrédule.

— Tu es certaine ?

— Pas tout à fait, mais c'est chose courante à Mexico.

— Ah bon ! ☺ Comme à San Francisco ?

— Pareil, oui. Situé à la jonction de cinq plaques tectoniques, le Mexique est l'un des pays où l'activité sismique est la plus forte au monde. En 1985, un énorme séisme a tué dix mille personnes et, en

2018, un autre cataclysme en a emporté près de cinq cents autres.

—*OMG!* C'est terrible! 🙀 Tu crois qu'il est possible que nous soyons en danger?

—Sincèrement, je ne pense pas. Cet hôtel a été rénové selon des normes très strictes et la capitale est dotée d'un système d'alerte destiné à avertir la population quelques instants avant un séisme.

—Comment ça fonctionne?

—On peut les "prédire" grâce à une centaine de capteurs placés le long de la côte du Pacifique, lieu de la plupart des épicentres. Des sirènes retentissent alors pour avertir les gens et les inviter à sortir de leurs maisons.

—On n'a rien entendu de cela ce matin.

—Non, la secousse était vraiment très légère. Rien d'alarmant. Mais il ne faudrait pas être surprises qu'il y en ait d'autres, tout aussi légères, pendant la journée.

—De toute façon, nous serons en route pour Puerto Vallarta, alors nous ne les sentirons probablement pas.

—Tu as raison, pitchounette. Je ne vois aucune raison de nous inquiéter.

Elle repousse sa couverture puis saute en bas du lit.

—Bon, ben, puisque nous sommes réveillées, autant nous lever. Je sens que ça va être une bonne journée !

(Si elle le dit. Quoi qu'il en soit, moi, depuis mon fameux voyage à San Francisco[1], les tremblements de terre ne m'effraient absolument pas. ☺)

6 H

Après avoir mangé un solide petit-déjeuner mexicain (c'est-à-dire des œufs au plat sur un lit de steak, accompagnés de bananes plantain frites, de tortillas et de purée d'avocat[2]), j'ai le cœur lourd à l'idée de quitter la capitale, même si c'est pour aller à Puerto Vallarta. Le soleil, le sable, la mer, les vagues et la crème solaire, ça semble super cool, je sais. Comprends-moi bien, je ne voudrais pas donner l'impression d'être capricieuse, mais du soleil, il y en a tous les étés chez moi et j'aurai très certainement de multiples autres occasions d'aller tremper mes orteils quelque part avec Gina. En revanche, des après-midis dans le genre de

---

1. As-tu lu *Juliette à San Francisco* ?
2. Je sais, le petit-déjeuner mexicain typique n'a rien à voir avec les tout aussi traditionnels duos croissant et chocolat, céréales et lait, ou toasts et beurre d'arachides de chez nous. ☺

celui que nous avons passé hier, on ne sait jamais si on aura l'occasion d'en vivre d'autres. La vérité, c'est que je ne peux me sortir Yalitza et Adela de la tête. Que deviendront-elles ? À quel genre de vie auront-elles droit si elles ne fréquentent déjà plus l'école à quatorze et quinze ans ? Dans dix ans, j'aurai vingt-trois ans, bientôt vingt-quatre et je serai à l'université, fort probablement. Pour devenir dramaturge, avocate à l'international, architecte, ingénieure ou propriétaire de ma petite entreprise de recyclage des matières résiduelles, que sais-je. Entre-temps, peut-être que Yalitza aura eu deux ou trois enfants qu'elle transportera sur son dos, tandis qu'Adela, qui a une aussi jolie voix que Gina, aura probablement abandonné tous ses rêves à force de s'user les mains à faire la lessive pour de purs étrangers qui ne lui manifestent quasi jamais la moindre gratitude. Qu'avons-nous fait de particulier, Gina et moi, pour mériter tous les privilèges dont nous bénéficions depuis notre naissance, tandis qu'apparemment il n'y a pas d'autre avenir possible pour ces deux jeunes filles que la buanderie du Gran Casino Hotel ? Nous sommes nées dans des familles privilégiées à plusieurs égards et grandissons dans un pays où beaucoup de nos avantages semblent naturels, voilà la vérité.

J'en suis là de mes réflexions lorsque ma *best* et sa mère nous rejoignent. Mon amie a une tête d'enterrement.

—Ça va, Gina?

—Je n'ai pas fermé l'œil de la nuit.

—Tu as été réveillée par le tremblement de terre, toi aussi?

—J'étais plutôt préoccupée par l'idée d'abandonner Yalitza et Adela. J'aurais aimé passer plus de temps avec elles. Soudain, on dirait que nos vacances à la plage ne me disent plus rien.

Elle baisse la tête et regarde par terre.

—Enfin, j'ai un peu honte de l'avouer étant donné qu'on va à la plage. Je ne veux pas me plaindre le ventre plein, c'est juste que...

—... que tu te dis que tout le monde n'a décidément pas autant de chance que nous. Je te comprends, je pense pareil.

—Alors, les filles, contentes de quitter Mexico? s'enquiert Ginette.

Gina et moi échangeons un coup d'œil complice avant de répondre en chœur, du bout des lèvres:

—C'est correct.

—Vous en faites une tête, dites donc! Un p'tit sourire avec ça?

—C'est qu'on aurait aimé rester un jour de plus, tente d'expliquer Gina.

— J'aurais bien aimé visiter la maison de Frida Kahlo, renchéris-je.

— En tout cas, moi pas, répond la mère de mon amie. Ça alors, vous êtes difficiles à contenter!

Même si on tentait de s'expliquer, Ginette ne comprendrait pas. Enfin, je crois…

— Je pense que ce qu'elles veulent dire, c'est qu'elles ont beaucoup aimé leur séjour à Mexico, intervient gentiment maman en nous jetant un clin d'œil complice.

— Ouais bien, c'est beau les ruines, mais franchement, je ne serai pas fâchée d'entendre enfin des mariachis me chanter la sérénade, guitare à la main et costume à pompons sur le dos, de manger des nachos au fromage Philadelphia et de déguster des cocktails servis dans des moitiés de noix de coco.

Lui tournant le dos, Gina et moi pouffons de rire avec discrétion. Sacrée Ginette! 😂

7 H

À l'aéroport, ça ne se passe pas exactement comme nous nous y attendions. Les aiguilles de l'horloge ont beau tourner, on ne nous appelle toujours pas pour l'embarquement. Ma mère, qui est allée s'informer au comptoir au nom de tous les passagers de notre autobus, revient vers nous avec un drôle d'air :

— Désolée de vous décevoir tout le monde, mais il semble qu'il n'est plus question d'aller à la plage, aujourd'hui.

Un murmure étonné s'échappe de notre groupe.

— Ooooh ! ☹

— Comment ça ? demande Gina.

— Bon, que se passe-t-il encore ? ajoute Ginette.

— C'est inacceptable, s'insurge une autre dame.

— Je veux être remboursé, dit un gros monsieur portant un bermuda qui comprime tellement son ventre qu'on a l'impression que celui-ci va exploser.

— Il s'agit très certainement d'un sabotage. Il paraît que tous les Mexicains sont des terroristes et que c'est pour les contenir que Donald Trump a fait ériger un mur, avance un ado boutonneux âgé d'environ dix-sept ans.

D'un calme souverain, ma mère poursuit :

— Il semble plutôt que l'avion qui était en réparation ne soit toujours pas en état de voler. Ils viennent de se rendre compte que l'autre réacteur pose aussi problème.

— En quoi ça nous regarde ?

— Ils sont en train de le réparer, mais ils ne sont pas certains d'arriver à terminer avant la fin de la journée. Ils proposent donc de nous ramener à l'hôtel.

— Non mais, je rêve! s'écrie Ginette. Ils vont nous mettre sur un autre vol cette fois, j'espère!

— J'ai bien peur qu'il n'y ait pas d'autre vol aujourd'hui avec cette compagnie aérienne.

— Et puis après? J'EXIGE d'être replacée sur un vol avec une autre compagnie, crie-t-elle en se mettant debout et en tapant du pied sous l'œil éberlué des témoins.

— C'est tout à fait possible… répond un employé, venu à notre rencontre.

— … mais à vos propres frais! entonnent en chœur les autres membres de notre groupe.

Évidemment, ils ont raison, et comme la plupart refusent d'allonger les cinq cents dollars nécessaires, nous rebroussons chemin vers le terminal, à la queue leu leu.

8 H

Dans le bus, maman fait une suggestion inattendue:

— Puisque nous bénéficions d'un sursis, ça vous dirait d'aller à Coyoacán?

— Un sursis, un sursis, tu parles, comme si Puerto Vallarta était une prison! Nous sommes coincées à Mexico contre notre gré, je te ferais remarquer, alors ta Frila Kadolo, non merci! répond Ginette, maussade.

— Moi, je veux bien, dit Gina.

— J'en meurs d'envie! renchéris-je.

Assises côte à côte, ma *best* et moi faisons déjà des plans en chuchotant.

— Avec un peu de chance, murmure Gina, on reviendra assez tôt pour monter voir Adela et Yalitza avant qu'elles n'aient terminé leur journée de travail.

— Ouiiii! On pourrait faire une petite fête? Qu'en penses-tu?

— Bonne idée! Le mieux serait de passer les voir avant de partir pour notre visite. Comme ça on leur demande si elles pourront rester un peu plus tard que l'heure habituelle.

— Absolument!

À l'hôtel, pendant que maman s'informe au sujet du meilleur moyen de se rendre à la fameuse Casa Azul[3] et que Ginette engueule les employés de la réception parce qu'ils s'excusent de ne pas pouvoir nous rendre nos chambres immédiatement, Gina et moi, nous nous esquivons.

---

3. *Casa Azul* signifie «Maison Bleue». C'est ainsi que Frida Kahlo appelait sa maison natale située dans le quartier Coyoacán.

Sur le toit, nous retrouvons nos deux copines qui semblent ravies de nous revoir. Elles sont fort occupées, cependant. Leur journée de travail est déjà bien entamée. Tandis que toutes les machines à laver tournent, elles s'activent à laver à la main certains vêtements plus délicats dans une grande cuve en ciment. Leurs doigts sont rougis par l'eau froide et le savon. Nous avons presque honte de leur annoncer que nous allons visiter la maison de Frida Kahlo.

—*Volveremos temprano* (« Nous reviendrons de bonne heure »), annoncé-je.

—*Y vamos a festejar por la tarde* (« Et nous ferons la fête cet après-midi »), ajoute Gina.

—*Si ustedes están de acuerdo*, ajouté-je.

Si elles sont d'accord, évidemment ! 😊

Les filles acquiescent avec enthousiasme. Gina et moi les quittons avec moins de remords.

—Il faudra penser à une excuse pour nos mères, dis-je.

—Et trouver le moyen d'aller acheter des petits trucs à boire et à manger.

—T'as raison. Je vais réfléchir à la meilleure manière de nous y prendre.

—Alors, m'man, il se passe quoi, finalement ?

—Nos chambres ne seront pas prêtes immédiatement parce que l'hôtel, qui nous pensait parties pour de bon, les a attribuées à d'autres clients. On nous a offert de laisser nos bagages en consigne, le temps de démêler tout cela. En attendant, je sais comment me rendre à Coyoacán.

Elle se tourne vers la mère de mon amie.

—Vous aimeriez nous accompagner ?

—Oublie ça ! J'ai bien trop peur qu'on ne nous trouve pas de place ou qu'on nous donne les pires chambres. Je préfère rester ici et veiller au grain.

Maman éclate de rire.

—Comme tu voudras. Mais, à ta place, je ne m'en ferais pas trop. Je suis persuadée que toutes les chambres de cet hôtel sont très bien. Il faut juste laisser du temps à ces braves gens.

—Mais moi j'aimerais bien les accompagner, m'man, intervient Gina. Je peux ?

Ginette la regarde, interloquée, puis tentant de se composer un air triste, elle riposte :

—Tu vas abandonner ta pauvre mère ici toute seule ?

Mais mon amie n'est pas dupe. Levant les yeux au ciel, elle hausse les épaules et répond :

— Tu n'as qu'à venir avec nous !

Dans mon for intérieur, je prie doucement pour que Ginette décline tout en laissant Gina venir. Je sais que ce n'est pas bien de penser du mal de la mère de sa meilleure amie, mais elle peut se montrer un « tout petit peu » pénible parfois, non ? ☺

D'un autre côté, j'espère que la discussion ne va pas s'éterniser. Parce que plus vite nous aurons visité Coyoacán, plus vite nous serons rentrées à l'hôtel pour aider Yalitza et Adela à terminer leur journée et ensuite faire notre petite fête. Rien que d'y penser, je suis terriblement excitée ! (Pas toi ?)

— Bon, bon, c'est d'accord, vas-y, répond Ginette. Je t'attends ici. Je vais aller magasiner. Ça me changera les idées.

Mon amie saute de joie.

— Merciii ! Tu peux me donner un peu d'argent ?

— Pour quoi faire ?

— Eh bien… pour prendre le métro, pour payer l'entrée au musée, manger un morceau à midi et peut-être aussi pour m'acheter un petit souvenir là-bas, répond mon amie.

— D'accord. Tiens, voilà.

— T'es vraiment cool, m'man !

— Tu ne m'embrasses pas ?

— Bien sûr !

Gina embrasse sa mère avec effusion.

— Fais attention à toi. Tu es certaine de vouloir rester seule, maman ?

Ginette hausse les épaules.

— Ne t'inquiète pas et amuse-toi !

9 H 15

Il ne faut pas plus de quinze minutes pour aller de l'hôtel aux environs de Coyoacán, par le métro, en empruntant la ligne 2. Prendre les transports en commun dans une ville étrangère est l'une de mes activités favorites. J'adore ! Même lorsque le bus ou le métro est bondé, comme c'est le cas aujourd'hui. Gina et moi avons un plaisir fou à examiner les autres passagers, voire à nous payer leurs têtes. Enfin, en particulier celles des messieurs bedonnants qui lorgnent du côté de maman, en tentant d'attirer son attention par des sourires engageants. Avec sa tête blonde et son joli minois, elle ne passe jamais inaperçue où que nous allions, mais il semble que l'attention qu'elle suscite à Mexico soit plus prononcée que d'habitude. Les hommes mexicains aiment draguer, mais ils ne le font pas toujours de manière subtile.

Comme recommandé, nous descendons à la station General Anaya. Une fois sur place, il faut encore marcher plus de deux kilomètres vers l'ouest pour arriver à la Casa Azul, selon l'employé de la réception auprès de qui maman s'est renseignée. Nous décidons donc de prendre un bus. Mais il aurait peut-être mieux valu nous abstenir, en raison du trafic...

Il faut encore vingt-cinq minutes avant que le chauffeur puisse enfin nous déposer Plaza Hidalgo, dans le centre du quartier. Selon ce qu'explique le chauffeur à maman, nous ne sommes plus qu'à deux minutes à pied, par la rue Allende.

—Ça alors! Moi qui croyais que Coyoacán n'était encore qu'un village! m'exclamé-je, en descendant sur le trottoir.

Loin d'être une morne banlieue, le quartier est plutôt chic avec d'élégantes demeures, de larges avenues pavées et bordées d'arbres, une magnifique église, un grand jardin, des galeries d'art, une abondance de restaurants et un tas de boutiques toutes plus attrayantes les unes que les autres. Il y a tant à voir que nous ne savons plus où regarder!

—Je sens que maman va regretter de ne pas nous avoir accompagnées, dit Gina.

Ma mère sourit, visiblement ravie.

—Oui, cet endroit est réputé pour être l'un des plus beaux de la capitale. Mexico regorge de trésors de ce genre. Si nous avions eu le temps, j'aurais aussi beaucoup aimé visiter les quartiers branchés de La Roma, et la Zona Rosa, pour ne nommer que ceux-là.

— Mais ce n'est pas dangereux ? demande Gina.

— Que veux-tu dire ?

— Maman dit que Mexico est l'une des villes les plus dangereuses au monde et qu'il est risqué de se promener au-delà du quartier historique autour du Zócalo.

— En plein jour, et en prenant évidemment les précautions élémentaires que tout bon globe-trotter devrait adopter, Mexico n'est pas plus dangereuse qu'une autre capitale, je pense.

En nous guidant dans les petites rues pavées, maman nous raconte l'histoire du quartier.

— Peu de quartiers de Mexico présentent encore autant de vestiges d'architecture de l'époque coloniale, en tout cas aussi parfaitement conservés, récite-t-elle. Coyoacán fut le premier lieu de résidence d'Hernán Cortés qui s'installa ici pendant que sa version de Mexico était en construction, sur les ruines de Tenochtitlán. Sa maison était juste ici, en face. Il y a vécu avec sa maîtresse aztèque, qu'on appelait La Malinche. C'est également ici que le conquistador a retenu en otage le dernier empereur, Cuauhtémoc, avant de l'exécuter.

Je fais la grimace. Toute cette violence, tout le temps, finit par me peser.

—Hum, c'est bien intéressant tout cela, mais je crois que j'ai aperçu un endroit où ils vendent de la crème glacée. C'est juste là, dans ce parc, le Jardín Centenario. On y va?

—Bonne idée, commente Gina.

Maman éclate de rire.

—D'accord. J'ai compris.

10 H 15

Assises sur un banc, glaces au chocolat à la main, nous regardons les photos que j'ai prises sur mon iPad depuis notre arrivée ici. Certaines sont vraiment spectaculaires! Au marché, du haut de la pyramide du Soleil, et mêmes celles que j'ai prises du Chac Mool, avec une vue sur le site depuis les marches du Templo Mayor.

—Celle-là, c'est ma préférée, dit Gina. Oh! mais tu as vu cette tache?

—Où?

—Juste là. Qu'est-ce que c'est d'après toi?

Du doigt, elle pointe une sorte d'ombre qui semble dépasser bizarrement derrière une grosse pierre.

—L'ombre n'a pas la forme de la pierre. On dirait plutôt...

—Une forme humaine accroupie! s'exclame Gina.

—Tu crois?

—Mais oui, regarde comme il faut. Je t'ai justement fait remarquer, ce jour-là, que j'avais l'impression que nous étions suivies.

—Hum! Trop bizarre.

—C'est fou ce que vous avez comme imagination, les filles, rigole maman. Moi, je ne vois rien du tout. Franchement.

—Imagination mon œil, regarde d'un peu plus près, tu verras!

Nous en sommes là lorsque, soudain, nous sentons la terre trembler. Un peu plus fort que ce matin, je dirais. Le tout accompagné d'un grondement plutôt inquiétant. Fort heureusement, la secousse dure moins d'une minute. Qu'à cela ne tienne, je ne suis pas fâchée d'être à l'extérieur.

—*OMG!* Qu'est-ce qui se passe? s'écrie Gina en se précipitant sur ses pieds.

—C'était une très légère secousse. À peine un peu plus forte que celle à laquelle nous avons eu droit à quatre heures ce matin, explique maman.

—Il va y en avoir d'autres? Ça va aller en s'amplifiant? demandé-je, légèrement anxieuse.

—Je ne crois pas. Aucune sirène ne s'est déclenchée et les promeneurs autour de nous n'ont même pas bronché. Je pense que pour les habitants, qui en ont l'habitude, ce n'était rien du tout. Il n'y a probablement aucun blessé.

—Mais vous avez entendu ce grondement? insiste Gina.

—C'est normal lorsque la terre tremble. Allez, venez ici toutes les deux.

Elle ouvre grand les bras pour entourer nos épaules.

—Il ne faut pas vous en faire, je vous assure. Je propose d'aller faire cette visite comme prévu, puis de rentrer à l'hôtel en taxi. Vous êtes d'accord?

Nous sommes d'accord, bien entendu. On ne va pas arrêter de vivre pour une toute petite secousse de rien du tout. Quoique... Je ne suis pas certaine que j'apprécierais de vivre jour après jour avec cette menace constante sous mes pieds. Le Mexique abrite des gens très courageux!

10 H 30

Située au numéro 247 de la *calle* Londres, à l'angle de la rue Allende, la Casa Azul est effectivement bleue. ☺ Comme dans la plupart des maisons du pays, on trouve en son centre une très agréable cour intérieure où poussent de nombreux cactus dont la taille est impressionnante. Gina et moi sommes très admiratives de l'aménagement, rêvant d'avoir la chance d'habiter un jour une aussi jolie maison.

La visite de l'intérieur nous fait pénétrer au cœur de l'intimité du couple Kahlo-Rivera. Ils étaient admirés de tous, autant pour leur talent que pour leur vie de bohème. Mais j'ai l'impression que Frida Kahlo est aujourd'hui un tout petit peu plus célèbre que son mari, ce qui n'est pas pour déplaire à maman.

— Tu connais leur histoire ? demande-t-elle à Gina.

— Un peu. Elle était malade, non ?

— Elle a commencé à peindre pour se distraire après un accident de tramway qui l'a immobilisée au lit pendant plusieurs mois. À partir des clavicules, tout son corps était dans le plâtre. Un miroir placé au-dessus de son lit lui permettait de se prendre elle-même pour modèle.

— J'imagine que ça explique l'abondance des autoportraits, note Gina.

— Tu as raison. Mais ce qui a beaucoup attiré l'attention sur elle, c'est sa formidable indépendance d'esprit et le fait qu'elle a été une féministe et une activiste de la première heure. Elle revendiquait pour les femmes les même droits et privilèges que pour les hommes, et la justice sociale pour les paysans, les ouvriers et les Indiens, c'est-à-dire pour les plus démunis de la société.

— Elle s'habillait parfois en homme, remarqué-je.

— Oui, entre autres choses, répond maman. Mais elle affectionnait tout particulièrement la tenue autochtone traditionnelle, qu'elle s'obstinait à porter, même lors de ses voyages à l'étranger, faisant fi des tenues occidentales à la mode chez les coquettes de la classe bourgeoise de cette première moitié du XXe siècle.

— Elle était Amérindienne elle-même ? demandé-je.

— Eh bien non, justement. Ses parents étaient tous deux d'origine européenne.

— Oh !

La visite est très touchante, je dois l'avouer. Il est vrai que visiter des maisons, et découvrir comment vivaient les gens au quotidien, est l'une des activités qui me plaît le plus lorsque je voyage avec maman. On apprend pas mal de choses à fouiner dans les cuisines et les chambres à coucher... ☺ Non seulement cette maison est meublée comme si l'artiste-peintre et son mari l'habitaient encore – Diego y a vécu avec elle pendant plusieurs années –, mais beaucoup de leurs objets personnels sont encore là: de la vaisselle et des ustensiles de cuisine, des photos, des accessoires de toilette et même le fauteuil roulant de Frida, ses corsets et son lit à baldaquin.

Sur les murs, il y a des peintures et des dessins de l'artiste, mais aussi quelques-unes des premières œuvres de Rivera, ainsi que des objets d'art et d'artisanat mexicains auxquels ils étaient tous deux très attachés. J'aperçois des larmes d'émotion poindre au coin des yeux de ma mère lorsqu'elle s'arrête pour examiner des photos de leur mariage. Les images sont jolies, c'est vrai. D'un autre côté, je n'oublie pas qu'il était apparemment de notoriété publique que Diego Rivera était un coureur de jupons notoire et que leurs disputes étaient épiques. S'il est vrai que, de son côté, Frida a été la première féministe du Mexique, je ne suis pas certaine qu'elle l'épouserait à nouveau si leur relation avait lieu aujourd'hui. En tout cas, moi, je ne l'épouserais certainement pas. ☺ C'est vrai, quoi! Je déteste cette tendance qu'ont eue certains hommes, célèbres ou pas, à s'imaginer qu'ils étaient supérieurs aux femmes, plus dignes d'intérêt, d'admiration que leurs compagnes, n'hésitant pas par ailleurs à leur laisser assumer les tâches «subalternes». Ce n'était certainement pas « monsieur Kahlo » qui faisait la lessive et la cuisine lorsqu'il daignait rentrer à la maison ! ☻

11 H 15

En sortant, nous nous arrêtons dans une boutique de souvenirs. De jolis porte-monnaie à l'effigie de Frida retiennent mon attention.

— Dis, m'man, tu me prêterais des sous pour en acheter deux ?

— Les deux pour toi ? Si c'est le cas, je t'invite plutôt à faire un choix. Tu sais que je n'aime pas jeter mon argent par les fenêtres.

— Je ne veux rien pour moi, réponds-je, d'une toute petite voix. C'est pour offrir.

— À Gina et Gino ?

Je secoue la tête en rougissant comme un plant de piment.

— Ça ne te regarde pas vraiment, m'man.

Voyant mon embarras, ma mère n'ajoute rien et me tends les 210 pesos nécessaires. (Ce n'est PAS cher pour deux porte-monnaie ! ☺)

— Merci, ma petite maman d'amour !

Je suis ravie. De son côté, Gina achète quatre petits bracelets tissés de fils de coton. L'un de couleur rose, l'autre bleu, le troisième mauve et le quatrième jaune.

— Ils sont vraiment trop mignons! commenté-je.

— Seulement 260 pesos, répond mon amie en souriant. Je n'ai pas pu m'en empêcher.

12 H

De retour à l'hôtel, Gina doit d'abord aller retrouver Ginette. Elles ont changé de chambre. Souhaitons que ce soit pour le mieux. Contre toute attente, maman et moi avons eu la chance de pouvoir conserver la nôtre et nos bagages ont été montés. Mon amie et moi convenons de nous retrouver dans le hall dans une quinzaine de minutes, afin de pouvoir aller retrouver Yalitza et Adela. Ce sera une surprise.

12 H 15

— Finalement, tu lui as dit quoi à ta mère?

— Que j'avais accepté de vous accompagner pour visiter un autre musée.

J'éclate de rire.

— Elle n'a pas eu envie de t'accompagner?

— Mon petit doigt me disait qu'elle déclinerait l'invitation. Et toi?

— Je lui ai dit que ta mère m'avait invitée à vous accompagner pour aller magasiner dans le quartier voisin.

— Elle n'a pas voulu venir ?

— Je le lui ai offert, mais mon petit doigt me disait qu'elle répondrait qu'elle n'est pas millionnaire et que le magasinage n'est pas sa tasse de thé.

Nous rions de bon cœur ! On ne peut pas dire qu'elles soient très difficiles à berner, nos mères… Dès que nous sommes certaines que personne ne nous observe, nous ouvrons discrètement la porte donnant sur l'escalier de service et montons les marches quatre à quatre.

Là-haut, nous ne trouvons qu'Adela. La jeune fille est entourée de montagnes de linge sale et pleure à chaudes larmes, visiblement dépassée par l'ampleur de sa tâche.

— *¿Que te está pasando, Adela?* demandé-je. *¿Dónde está Yalitza[4] ?*

En hoquetant et avec force gestes et mimiques, la jeune fille nous explique que le frère de Yalitza est venu la chercher ce matin, autour de dix heures trente, après que leur grand-mère est tombée d'un escabeau lorsque la terre s'est mise à trembler. Elle s'est démis une hanche et, dans cet état, elle

---

4. — Que t'arrive-t-il, Adela ? Où est Yalitza ?

est incapable de faire à manger ou de s'occuper des petites sœurs de Yalitza.

—Mais, le grand frère, il n'est donc bon à rien ? Quand il s'agit de tâches non rémunérées, très souvent, les gars disparaissent ! 😖

Je reconnais bien là ma Gina. Ses yeux lancent des flammes dès qu'il y a apparence d'injustice quelque part.

—Ne jugeons pas trop vite. Peut-être devait-il accompagner la grand-maman à l'hôpital. Quoi qu'il en soit, Adela est toute seule et, sans notre aide, elle ne s'en sortira pas. De plus, comme Yalitza est partie sans avertir la direction, elle a peur qu'on ne les congédie toutes les deux si leur patronne l'apprenait.

—C'est terrible. Nous devons l'aider, répond ma vaillante amie, en retirant sa veste et en relevant ses manches.

—Moi, je veux bien, mais plier les draps ne sera pas suffisant cette fois. Je crains qu'il ne faille aussi laver, suspendre et repasser. Je ne sais rien faire de tout cela.

—Ben ça s'apprend. Allez, courage !

Adela nous explique qu'étant donné que certains vêtements ne supportent pas la lessiveuse, il faut les laver à la main. Même chose en ce qui

161

concerne le sèche-linge[5]. Après concertation, il est entendu que la jeune fille lavera elle-même ces vêtements dans le lavoir en béton, tandis que Gina s'occupera de remplir et de vider les machines et d'aider Adela à étendre le linge sur les cordes. De mon côté, je suis déléguée au repassage. Génial! ☹

12 H 45

Repasser, ça s'apprend, effectivement, mais c'est loin d'être facile! C'est une tâche qui demande vigilance et précision, c'est le moins qu'on puisse dire. Savais-tu ça, toi, que la semelle du fer à repasser devient ultra-brûlante lorsqu'il est en fonction? Bien sûr, tu le savais. Moi aussi. Ça ne m'empêche pourtant pas de me brûler ATROCEMENT toutes les dix minutes en repassant ces fichus draps. C'est difficile parce qu'ils sont très grands et qu'il faut bien tenir les pans si on veut effacer les faux plis sans que tout glisse par terre. Ce n'est pas repasser qui est difficile, c'est le faire sans gaffer... Au dixième drap, malgré tout, je sens que le métier commence à rentrer. À la fin de cette journée, j'aurai peut-être enfin fait

---

5. C'est donc pour cela que ma mère le fait à la maison! Moi qui croyais que c'était seulement pour économiser de la place dans le lave-linge... ☺

quelque chose qui me permettra d'être fière de moi. Ça commence déjà ! ☺

Pour nous mettre dans l'ambiance, Adela allume une petite radio qui se trouve dans un coin. Une musique rythmée et joyeuse se fait entendre.

—¿ *Que es esta música ?* demandé-je.

(« Qu'est-ce que c'est, cette musique ? », ai-je voulu dire. Je ne sais pas si mon espagnol est bon ou mauvais, mais elle a l'air de comprendre mes questions. Formidable !)

—*Esa música es cumbia, y el grupo se llama Los Ángeles Azules. Son muy famosos en Mexico*[6].

La musique est réellement entraînante et, tout à coup, notre après-midi prend des airs de fête. Adela se met en effet à se déhancher tout en frottant en cadence les taches sur les vêtements. Gina ne tarde pas à l'imiter, bientôt accompagnée de Xolo qui se met sur les pattes de derrière pour montrer à quel point il sait y faire. Je suis pliée en deux de rire.

—Allez, Jules, je suis certaine que tu peux danser aussi en maniant ton fer à repasser, m'encourage mon amie.

---

6. —Cette musique est de la *cumbia*, et le nom du groupe est Los Ángeles Azules (c'est-à-dire Les Anges bleus). Ils sont très célèbres au Mexique.

— Vraiment ?

— Mais oui ! C'est trop facile. Tu fais un pas en avant, comme ça, puis un autre en arrière, tu relèves la tête et tu places tes mains comme ça. Allez, fais comme moi.

Je ne peux pas croire que je suis en train de faire ce que je suis en train de faire. ☺ En chantant à tue-tête : *Te vi pasar, con tu carita de ángel y ojos de rubí, sonrisa bien brillante, te seguí*, je me mets moi aussi à danser frénétiquement, fer à repasser à la main en guise de micro. Adela rit tellement que j'ai bien peur qu'elle ne fasse pipi dans sa culotte. Dire qu'elle pleurait lorsque nous sommes arrivées. C'est fou comme on s'amuse ! 😂

Allez, chante aussi !

Je t'ai vu passer
Te vi pasar
Avec ton petit visage d'ange et tes yeux de rubis
Con tu carita de ángel y ojos de rubí
Sourire très lumineux, je t'ai suivi
Sonrisa bien brillante, te seguí

Ces paroles sont incroyables, avoue ! ☺ (Je me demande à quoi ça peut bien ressembler, des « yeux de rubis ».)

16 H

L'après-midi tire à sa fin lorsque Yalitza revient. Sa surprise, lorsqu'elle constate que Gina et moi avons prêté main-forte à Adela, fait plaisir à voir ! Dans l'enthousiasme des retrouvailles, nous nous sautons toutes quatre dans les bras. À trois, sans presque nous en apercevoir, nous sommes à peu près venues à bout de tout l'ouvrage qu'il y avait à faire. Reste à retirer les derniers draps en train de sécher sur les cordes à linge, à plier tout cela et à redescendre les paniers.

Lorsque nous la questionnons au sujet de sa grand-mère, Yalitza explique que celle-ci ira bientôt mieux, mais qu'elle a besoin de se reposer. La maman de la jeune fille prendra congé à son tour demain pour s'occuper de la maisonnée. Que de préoccupations ! Gina et moi sommes sincèrement désolées et manifestons notre sympathie. Mais l'heure n'est pas aux doléances, c'est notre dernière soirée à Mexico, à Gina et à moi, et nous entendons terminer cette merveilleuse journée par la petite fête, prévue ce matin. Il nous faut quelque chose à boire et à manger. Il faudra aussi aller prévenir nos mères et trouver une excuse pour leur fausser compagnie encore un moment. Après discussion, il est décidé que Yalitza et moi commencerons par faire quelques courses avec ce qu'il reste des pesos que Ginette a donnés à Gina ce matin et que nous emmènerons Xolo avec nous. Quant à nos mères, on a encore un peu de temps devant nous, pensé-je.

16 H 30

Ça me fait tout drôle de me retrouver sur le trottoir sans maman. Elle est tellement mère poule qu'elle ne m'aurait jamais donné la permission de sortir seule avec Yalitza, alors... À ma grande surprise, Xolo n'a pas de laisse. Il trotte gentiment devant nous, l'air de connaître le chemin.

— *¿ A dónde vamos[7] ?* demandé-je.

— *Hay un mercadito cerca de aquí[8]*, fait ma compagne en montrant du doigt le bout de la rue, à environ quatre cents mètres.

À une intersection, je sursaute lorsque, tout à côté de moi, un chat hirsute surgit soudain d'une poubelle en miaulant avec fureur.

— Aaah ! m'écrié-je en m'immobilisant.

— *¡ Xolo ! Vuelve aquí[9]. ¡ Immediatamente ! ¡Xoloooo !*

Sans prévenir, notre compagnon à quatre pattes s'est élancé à la poursuite du chat. Ils ont tourné le coin de la rue, puis ont disparu avant que nous n'ayons eu le temps d'intervenir. Oubliant les courses, nous nous précipitons à leur poursuite.

— Xoloooo ! crié-je, les mains en porte-voix.

— *¡ Xolo !* crie Yalitza.

Nous cherchons notre compagnon et l'appelons dans tous les coins, mais le coquin demeure

---

7. — Où allons-nous ?
8. — Il y a un petit marché près d'ici.
9. — Reviens ici.

introuvable malgré nos appels répétés. Maintenant, il nous est difficile de savoir dans quelle direction aller parce que ce ne sont pas les intersections qui manquent dans ce quartier ! ☹ Je suis désemparée et Yalitza semble aussi triste et déroutée que moi.

—T'en fais pas, dis-je en français, en mettant la main sur son épaule. Il va certainement arriver à nous retrouver.

Elle hoche la tête, comme si elle avait compris. Parfois, les gestes valent mille mots…

16 H 55

La rue est déserte et je ne me sens pas tranquille parce que nous nous sommes pas mal éloignées de l'hôtel, me semble-t-il. À contrecœur, nous nous résignons à rebrousser chemin en direction du marché. En nous retournant, nous tombons nez à nez avec un groupe d'adolescents.

—*¿ Qué tal, guapa ?* demande l'un d'entre eux, avec un sourire mauvais en bloquant le passage à Yalitza. *¿ A dónde crees que vas*[10] *?*

Il lui marmonne autre chose à l'oreille, mais je ne saisis pas ce qu'il dit. Je suis cependant assez maligne pour comprendre, à voir l'air effrayé de

---

10. — Comment vas-tu, beauté ? Où crois-tu aller ?

mon amie, que ce n'est rien d'amical. Et nous ne sommes apparemment pas au bout de nos peines. Le groupe entier nous encercle littéralement. Nous voilà acculées à un mur de pierre, c'est-à-dire prises au piège! ☹

Celui qui s'est adressé à Yalitza semble le plus menaçant. Les autres se contentent de ricaner comme des ânes en me dévorant des yeux. L'un d'entre eux tient un skate à la main. Je me demande s'il ne s'agit pas d'un des idiots que maman et moi avons croisés dimanche après-midi. Je ne me sens pas rassurée pour autant. À nouveau, j'ai plutôt l'impression que l'on me confond avec un morceau de gâteau au chocolat. Grrr! C'est quand même incroyable de ne pas pouvoir déambuler tranquillement dans la rue, en plein deuxième millénaire, simplement parce que nous sommes des filles! Ces types sortent tout droit du Moyen Âge ou quoi? Le moins que l'on puisse dire, c'est que je trouve cela inacceptable et que je suis très en colère! ☺ Je m'apprête à ruer dans les brancards et à leur dire ma façon de penser dans un québécois bien senti lorsque je constate que Yalitza est en plus mauvaise posture que moi, car le gars essaie maintenant de l'embrasser de force et elle semble terrorisée. Le salaud! Sans plus réfléchir, je saute sur le dos du garçon, l'agrippant par-derrière et le prenant par surprise, en lui hurlant dans les oreilles. Nous tombons tous les deux sur le trottoir. Je m'écorche un genou dans la chute. Pas grave. Je m'en fous! Yalitza se jette dans la mêlée pour me venir en aide, mais elle est rapidement suivie par les autres garçons qui poussent des exclamations de surprise disgracieuses. À croire qu'ils n'ont pas l'habitude de voir des filles riposter! Pouah! Quels lâches! Lorsque ma compagne laisse échapper un cri de douleur parce qu'elle a reçu un coup dans le ventre, je commence à craindre que le jeu ne devienne dangereux. Poussant un cri de mort sioux pour me donner du courage, je redouble de coups de pied. J'allais enfoncer mes dents dans l'avant-bras d'un des gars lorsqu'une voix nous fait tous détourner la tête.

— ¿ *Que está pasando aquí*[11] ?

À son chapeau, je reconnais immédiatement le garçon qui ressemble à Rick Pagano... ☺ Je ne sais pas qui il est exactement, mais son arrivée change immédiatement la donne. Le garçon qui retenait Yalitza recule déjà et le cercle autour de nous se dissout, comme par enchantement.

---

11. — Que se passe-t-il ici?

Bande de lâches! pensé-je en me remettant prestement debout. Les voilà qui tremblent de peur devant un seul garçon. Et puis, de quoi il se mêle celui-là? J'aurais très bien pu les faire fuir moi-même s'il m'en avait laissé le temps, puisque j'étais justement en train de leur donner toute une raclée, parole de Jules!

Tandis que les autres s'éloignent déjà sans demander leur reste, le garçon se penche sur Yalitza pour l'aider à se relever.

—¿ *Está bien, señorita*[12]? lui demande-t-il avec sollicitude.

—*Sí, gracias*, répond-elle timidement en époussetant ses vêtements.

C'est le moment que choisit Xolo pour réapparaître en branlant la queue, tout joyeux.

—Tiens, te voilà, toi! Ben, tu as au moins quinze minutes de retard, mon ami, le grondé-je. Tu as bien failli nous mettre dans un sale pétrin, le sais-tu?

Mais le chien ne comprend rien de ce que je lui dis et Yalitza est bien trop occupée avec son nouveau prétendant pour prêter attention à notre camarade à quatre pattes.

12.— Vous allez bien, mademoiselle?

Avec galanterie, le garçon au chapeau insiste pour nous accompagner jusqu'à l'épicerie. Sa gentillesse me réconcilie avec le genre masculin. Tous ne sont pas à mettre dans le même panier, constaté-je avec soulagement. D'après ce que j'ai compris, il s'appelle Angel. Joli prénom.

Une fois sur place, il reste à l'extérieur avec Xolo, pendant que mon amie et moi remplissons nos sacs à provisions. Nous choisissons des petits pains, des boissons gazeuses et des bonbons. Comme notre budget est quand même pas mal serré, nous nous en contenterons. Après tout, l'important, c'est de passer du temps ensemble.

17 H 55

Il est déjà tard, constaté-je, lorsque nous faisons nos adieux à notre ange gardien devant la porte tambour de l'hôtel. Il faut vite que je trouve une excuse à donner à ma mère pour la rassurer avant de monter retrouver les autres filles sur le toit. Gina doit se demander ce que je fabrique, elle aussi. En attendant, Yalitza n'en finit plus de remercier le garçon. Ça saute aux yeux qu'ils ne sont pas indifférents l'un à l'autre ! Les voilà qui patinent afin de convenir de la meilleure façon de se retrouver.

— Pourquoi pas demain, même heure, devant cette porte ? proposé-je dans un espagnol maladroit.

Pour de vrai, ils sont tout à fait charmants, mais y'a pas que l'amour dans la vie et là, il y a plus urgent. 😖

J'en suis là de mes réflexions lorsque la porte de l'hôtel tourne à toute vitesse et que ma mère en surgit, les yeux brillants, Ginette à sa suite. Misère ! 😖 😖

— Julieeette ! Merci mon Dieu, te voilà enfin ! Qu'est-il arrivé à ton genou ? Tu es blessée ? Où donc étais-tu passée ? J'étais morte d'inquiétude, ma pitchounette. Vous nous avez menti, Gina et toi ! Qu'est-ce qui se passe exactement ?

— Où est passée Gina ? Il lui est arrivé quelque chose ? Elle a été enlevée, c'est ça ? s'affole la mère de mon amie. Elle est blessée elle aussi ? Qu'y a-t-il dans ce sac que tu portes ? Qui sont ces jeunes gens ? Pourquoi avoir menti ? Dans quel pétrin vous êtes-vous mises, encore une fois ?

Oh là là ! Je crois que j'ai de gros ennuis, là ! ☹

18 H 30

Angel a tourné les talons en faisant un signe d'adieu, dès qu'il a vu la mine de ma mère et celle de Ginette. Quant à Yalitza, elle s'est esquivée en direction de l'entrée de service, située dans la ruelle.

Je n'ai pas d'autre choix que de tout déballer et de proposer à nos mamans de monter sur la petite terrasse avec moi pour leur prouver que je ne mens pas et, surtout, que Gina n'est pas retenue contre son gré !

Le hic, c'est que j'ai du mal à garder le contrôle de la situation. ☹ Comme d'habitude, on dirait que les mots qui sortent de ma bouche ne sont pas exactement ceux qu'il faudrait. Finalement, je ne suis vraiment pas certaine qu'elles comprennent quoi que ce soit, parce que la tempête de reproches continue de s'abattre sur moi.

— J'ai bien pensé que vous étiez probablement là-haut, me glisse maman à l'oreille, mais je n'ai pas osé demander de l'aide de peur de mettre en péril l'emploi de ces deux jeunes filles. Quel dilemme ! Tu te rends compte de l'embarras et du désarroi dans lesquels ton mensonge m'a plongée ? Nous allons en reparler, pitchounette ! Et il y aura des conséquences, tu peux en être certaine.

— Je comprends, mais tu proposes quoi pour résoudre la situation ? Elles nous attendent toutes les trois en haut, maintenant.

— Et c'est sans compter Ginette ! poursuit-elle en parlant tout bas. Elle était folle d'inquiétude et à deux doigts de prévenir la police ! Tu réalises les conséquences potentielles ?

— Oui, mais puisque vous ne l'avez pas prévenue, il n'y a aucune conséquence, pas vrai ?

— JULIEEEETTTTE !

Elle a crié cette fois. Je mets les mains sur mes oreilles pour les protéger de tous ces sons en « eeetttte », qu'elle pousse sans arrêt lorsqu'elle est énervée… Bien sûr que je comprends et évidemment que je compatis et que j'affronterai les conséquences de mon mensonge plus tard, mais Gina et moi avons une fête d'adieu de la toute première importance à organiser et on dirait que personne ne s'en soucie.

— Que se passe-t-il ? s'en mêle Ginette.

— Excuse-moi. J'avisais juste Juliette qu'elle sera punie pour son mensonge.

— Écoutez, cette conversation s'éternise tandis que Yalitza, Adela et Gina nous attendent, me désespéré-je. La porte vers l'escalier de service est juste là, mais il faut trouver le moyen de la passer à trois sans attirer l'attention.

— Hum, dit maman, laisse-moi y penser.

Elle prend un air songeur ☺ pendant moins d'une minute, puis s'écrie :

—Ça y est! J'ai une idée!!

Sans nous donner plus de détails, la voilà qui se dirige à grands pas vers la réception, et apostrophe l'employé, qui est seul au comptoir à cette heure-ci. À ma grande stupéfaction, elle lui raconte avoir vu de la crotte de chien dans l'entrée. Un mensonge éhonté, bien évidemment! ☹ Devant l'air sceptique du jeune homme, elle lui intime l'ordre de sortir de derrière son comptoir et d'aller vérifier par lui-même. Impressionné par son ton autoritaire et sa mine (faussement courroucée), le pauvre n'a d'autre choix que d'aller vérifier ce que dit ma mère. Pendant ce temps, nous en profitons pour monter en catimini en refermant la porte de service derrière nous. Ni vues ni connues. ☺

Une fois sur le toit, le festival des reproches reprend, devant Yalitza et Adela, dont la mine désolée fait peine à voir. Elles se sentent coupables, bien sûr, même si elles ne comprennent pas un mot de ce qui se dit. Si le party est annulé, ce sont nos nouvelles amies qui, en définitive, seront punies.

La situation va de mal en pis jusqu'à ce que Gina prenne les choses en main.

—STOP! fait-elle, en levant une main en l'air en signe d'apaisement. Jules et moi sommes infiniment désolées de vous avoir menti, même si c'était pour une bonne cause. Essayez d'être attentives toutes les deux et laissez-moi vous expliquer, d'accord ?

Elle passe les quinze minutes suivantes à raconter, bien mieux que moi, je dois l'avouer, comment nous avons suivi Xolo sur le toit, lundi après-midi, et à quel point nous avons été touchées lorsque nous avons réalisé la quantité de travail impressionnante que les deux jeunes Indiennes devaient accomplir chaque jour plutôt que d'aller à l'école. Sans oublier l'incident de la grand-mère tombée ce matin de son escabeau, notre marathon de l'après-midi pour venir à bout du surplus de travail qui incombait à la pauvre Adela et la petite fête que nous avions prévu d'organiser afin de sceller notre amitié et démontrer que même des *gringas* québécoises archi-gâtées étaient capables de faire preuve de solidarité féminine.

—Tu veux dire que Juliette et toi avez aidé Adela à laver, suspendre, repasser et plier tout ce linge ? demande Ginette, les yeux exorbités par la surprise.

—Toi, repasser ? répète maman, en me fixant d'un air dubitatif.

Je hoche la tête (un peu vexée tout de même). ☺

—Bien oui, qu'y a-t-il d'étrange à cela ? Tiens, en voici la preuve, dis-je en exhibant la collection de brûlures que j'ai récoltées sur ma main gauche.

—Aïe! Ma pauvre pitchouneeetttte! Et cette fête, où était-elle supposée avoir lieu?

—Ben, ici, sur le toit, étant donné que Ginette et toi, vous ne nous auriez pas laissées sortir de l'hôtel, réponds-je avec une grimace.

(Je sais, je suis sortie sans permission, de toute façon, mais puisque c'était supposé être pour quinze minutes seulement, ça ne compte pas. Qu'en penses-tu? 😳)

—Comme ça, vous aviez l'intention de faire la fête sans nous? s'exclame Ginette. Sachant que Marianne et moi ADORONS nous amuser, ç'aurait été bien dommage.

—Je suis d'accord avec Ginette, dit maman. Et que pensiez-vous faire de la mère et de la grand-mère de Yalitza?

—Euh... Ben, on sait pas...

19 H 30

Les mères, quelles incroyables créatures! Peux-tu imaginer ce qui est en train de se passer? Comme son espagnol n'est pas mauvais du tout, voilà la mienne qui s'informe directement auprès de nos amies concernant la disponibilité de leurs parents pour la soirée. Puis, sans même nous consulter, Gina et moi, elle prend en main les rênes de notre projet et décide que le party aura plutôt lieu sur la terrasse de l'hôtel qui est d'habitude réservée aux clients. Elle descend parler au personnel du restaurant, et exige qu'on monte de la pizza, des jus de fruit et des sucreries pour tout le monde au 5e étage. Elle réclame aussi des ballons et un système de son pour la musique. Enfin, elle envoie chercher la mère, la grand-mère et les quatre petites sœurs de Yalitza en taxi. Personne n'ose évidemment protester.

Lorsqu'elle s'est informée de la disponibilité des parents d'Adela, la jeune fille a rougi en avouant que ses parents sont décédés lorsqu'elle était très jeune et qu'elle vit dorénavant avec une vieille tante qui l'a recueillie, mais avec laquelle elle ne s'entend pas très bien parce qu'elle l'oblige à travailler tout le temps.

— *Pobrecita*[13], a dit maman, en lui ouvrant les bras.

Constatant à quel point elle a l'instinct maternel développé, je me demande souvent par quel miracle je suis encore fille unique, moi. Enfin...

---

13. — Pauvre petite.

Finalement, grâce à la bonne volonté de tous (et à l'autorité de ma mère), nous avons mangé de la pizza, dansé la salsa et ri comme des folles, toutes les douze ! Parce qu'avec la famille de Yalitza, nous étions effectivement douze. Même sa grand-mère s'est amusée malgré son fauteuil roulant ! Je n'ose imaginer ce que cette soirée a pu coûter à maman... Elle qui a tout le temps peur de manquer d'argent ! Faut croire que ça dépend de l'importance de ce qu'il y a à payer...

Au moment de nous quitter pour de bon, cette fois, nous sommes toutes très émues, mais en particulier Gina, Yalitza, Adela et moi. Tandis que nous multiplions les câlins d'adieu, Gina sort quatre bracelets de coton de la pochette kangourou de son coton ouaté. Elle attache le mauve au poignet d'Adela, le jaune à celui de Yalitza, le bleu au mien et le rose au sien.

— *Ahora, somos amigas por la vida* (« Maintenant, nous sommes amies pour la vie »), dit-elle.

— *Amigas por la vida*, reprenons-nous toutes les quatre en chœur, les larmes aux yeux.

Généreuse Gina ! Je la reconnais bien là. Nos deux amies semblent encore plus émues que moi. Je comprends qu'elles ne reçoivent pas souvent de cadeaux. Imagine leur surprise lorsqu'à mon tour je sors les deux petits porte-monnaie que j'ai achetés à Coyoacán. ☺

Je n'ai pas souvenir d'avoir déjà vu deux ados aussi heureuses devant de si petits cadeaux. Avec un brin de remords, je réalise que ma mère et mes copines me donnent au moins dix fois l'équivalent rien que pour fêter le jour de mon anniversaire, et c'est sans compter Noël, Pâques, la Saint-Valentin et toutes les petites occasions où on s'échange des présents juste pour le plaisir de faire les magasins.

Nous resserrons notre étreinte, espérant graver ce moment dans nos mémoires pour longtemps.

—Allez, allez, les enfants, il est malheureuse-ment l'heure de vous séparer, dit maman, au bout d'un moment.

—Il faut se lever aux aurores demain, une fois encore, déplore Ginette.

Décidément, il nous en aura fait vivre des émotions contradictoires, ce séjour à Mexico!

Mercredi 13 janvier

6 H

— Cette fois-ci, c'est la bonne, je le sens ! dit maman, en sortant de la salle à manger où nous venons de prendre notre petit-déjeuner.

— On dirait qu'on les emmène en enfer tellement elles ont l'air sinistre, répond Ginette. Tu sais ce qui se passe, toi, Marianne ? Voulez-vous bien me dire ce que vous avez, les filles ? Gina, tu es malade ?

— T'inquiète pas, m'man, ça va aller.

— C'est juste qu'on a vraiment aimé Mexico et qu'on se demande si Puerto Vallarta sera à la hauteur, dis-je.

— J'ai particulièrement apprécié notre soirée d'hier moi aussi, répond plus doucement Ginette. Seulement, il y a l'école qui vous attend la semaine prochaine. Allez, les filles, secouez-vous. Ces vacances à la mer vous feront le plus grand bien. Et vous les avez méritées !

Vraiment? En tout cas, elles ne nous feront pas oublier Adela et Yalitza. Nous reviendrons prendre de leurs nouvelles un jour, parole de globe-trotteuse. Je ferai la connaissance de leurs enfants et, à ce moment-là, peut-être les temps auront-ils changé. Peut-être certains murs seront-ils tombés et peut-être que les petites filles auront enfin accès à une réelle égalité. Il est permis de l'espérer.

Lorsque Victor, notre jeune portier, ouvre la porte pour nous laisser passer, je me sens un peu mieux.

À nous le soleil, la mer, le bronzage d'enfer et le plaisir de ne rien faire! Nous allons lézarder sur la plage toute la journée et danser au son des mariachis en soirée. À moins que... Enfin, peut-être pas. Parce que, sait-on jamais ce que l'avenir nous réserve quand on s'appelle Juliette Bérubé? ☺

J'allais monter dans le bus, lorsque je sens que l'on tire sur un pan de ma tunique toute neuve. Baissant les yeux, je reconnais avec émotion la petite fille qui se tenait près de la porte avec sa mère et ses deux petits frères lorsque nous sommes arrivées, dimanche. Ceux-ci l'accompagnent d'ailleurs et me regardent avec un peu d'appréhension.

— Comme elle est jolie! s'écrie Gina. Regarde, on dirait qu'elle veut t'offrir quelque chose.

L'enfant me tend en effet un bijou bleu qu'elle tient au creux de sa petite paume.

— Mon bracelet! ☺

Je m'accroupis pour être à sa hauteur tandis qu'elle chuchote timidement quelque chose:

— *Te seguí mucho tiempo.*

— Qu'est-ce qu'elle dit? demande Gina en voyant la stupéfaction se peindre sur mon visage.

— Elle dit qu'elle m'a longtemps suivie!

— Oh, mais c'était donc elle! Tu te rends compte? Nous ne rêvions pas…

Nous ne rêvions pas, non. La pauvre enfant m'a suivie tout ce temps avant de trouver le courage de me rendre le bracelet qu'elle a dû me voir jeter. Je suis aussi émue que honteuse. Mon tempérament impulsif me fait faire de telles stupidités parfois!

— Tu as dû le perdre sans t'en rendre compte, dit Gina. Tu devrais le lui donner puisque nous le croyions perdu.

— Mais…

— Tu as encore celui que je t'ai offert hier soir, non?

Elle a raison.

— D'accord. Je veux bien, mais à condition que tu lui donnes également celui que je t'ai offert l'an dernier.

— Bonne idée! fait-elle en enlevant prompte-
ment son bracelet de quartz rose et en le tendant
à la fillette étonnée.

— *Son regalos*[1], dis-je en souriant.

— *¿ Regalos ?* fait la petite.

Elle semble aussi ravie qu'incrédule. Elle les
mérite tellement, pourtant!

— *Adiós corazoncito*, dis-je en l'embrassant.
Cuidate mucho[2]. ☻

8 H

À bord de l'appareil, au moment où nous nous
apprêtons à décoller, je prends la main de ma mère
puis celle de mon amie et je les serre si fort que
mes jointures en blanchissent.

— Je t'aime, Gina, murmuré-je.

— Je t'aime, Jules. À la vie à la mort?

— À la vie à la mort!

---

1. — Ce sont des cadeaux.
2. — Au revoir, petit cœur. Prends bien soin de toi.

Sur les pas de Juliette

MINIGUIDE DE TA VISITE À MEXICO

Le Mexique est sans conteste l'un des pays parmi les plus fascinants qu'il m'ait été donné de visiter. On ne s'ennuie jamais là-bas tellement il y a de choses à faire et surtout à voir. L'architecture et l'histoire se mêlent aux paysages, à la faune, à la flore et aux habitants pour rivaliser de beauté, quelle que soit la région visitée! Quant à Mexico, la capitale, il s'agit d'une mégapole comptant plus de vingt-deux millions d'habitants. C'est fou, non? La visiter, c'est plonger dans un véritable kaléidoscope de joyeuses couleurs, d'enivrantes odeurs et de surprenants spectacles. J'ai A-DO-RÉ!

De toute l'Amérique, le Mexique est le pays qui compte le plus grand nombre d'Indiens, soit entre dix et quinze millions. Maman dit que du sang indien coule dans les veines de presque tous les Mexicains, mais que beaucoup refusent de l'avouer parce que,

189

dans la société, l'*Indio*[1] est encore aujourd'hui très souvent mal vu. C'est triste, non ? Par ailleurs, se tailler une place enviable lorsqu'on est née fille ne semble pas facile non plus. Attention, petit choc culturel à prévoir de ce côté. Mais les temps changent partout, même si c'est lentement, et les Mexicains demeurent réputés pour leur joie de vivre, leur fabuleux sens artistique et leurs valeurs familiales.

Enfin, l'histoire de la capitale mexicaine est si riche qu'il m'a fallu faire un choix difficile parmi les innombrables sites accessibles aux visiteurs. Pour connaître mes coups de cœur, je t'invite à suivre le guide ! ☺

ARRIVER À MEXICO ET TE RENDRE AU CENTRE

Si tu atterris, toi aussi, directement à Mexico (ça peut arriver ☺), voici mes conseils. Tout d'abord, garde les yeux bien ouverts parce que l'arrivée en avion au-dessus de la ville est spectaculaire et te permettra d'embrasser du regard la totalité de cette GI-GAN-TES-QUE agglomération, composée principalement de maisons basses. Le très moderne aéroport Benito Juárez est situé à environ quinze kilomètres seulement du centre historique (*el centro histórico*). En voiture, il faut cependant

---

1. L'Indien.

compter quarante-cinq minutes au MINIMUM pour s'y rendre, en raison du trafic infernal qui est la norme dans la capitale mexicaine. Tu es avertie. Si tu  optes pour le taxi, assure-toi qu'il s'agit d'un taxi agréé (*taxis autorizados*). Ceux-ci sont fiables et fonctionnent selon un système de tarification fixe en fonction de la destination. Il faut d'abord acheter un ticket aux guichets situés dans la « Sala E1 » (arrivée des vols internationaux), tout de suite en sortant de la douane.

Bienvenido a México

• **METRO**

Si tu as l'esprit d'aventure, le moyen le plus rapide pour te rendre au centre demeure le métro, bien qu'il faille changer deux fois de ligne et qu'il ne soit pas évident de s'y frayer une place avec des valises... (À éviter à tout prix aux heures de pointe.)

La station qui dessert l'aéroport est à deux cents mètres environ du Terminal 1. (Il n'existe malheureusement pas de possibilité de prendre le métro depuis le Terminal 2.) C'est la ligne jaune (Línea 5). Elle est située tout près de l'arrêt des taxis. Pour le Zócalo, il faut prendre la « Dirección Politécnico » puis changer à « La Raza », c'est-à-dire sept stations plus loin. C'est là que ça se complique un peu parce qu'il faut prendre cette fois la ligne verte (Línea 3) et descendre trois stations plus au sud, à « Hidalgo », puis changer une

seconde fois pour rejoindre « Plaza de
la Constitución » avec la ligne bleue
(Línea 2).

· METROBÚS

Le *metrobús* est sans doute la solution la plus confor-
table puisque celui qui dessert l'aéroport est doté
de casiers à bagages et de caméras de surveil-
lance. Les arrêts sont situés à la porte numéro 7 du

Terminal 1 et à la porte numéro 3
du Terminal 2. Il faut acheter un
titre de transport à l'un des ter-
minaux et compter quarante-cinq
minutes pour rejoindre le centre.

Tu auras plus de détails en allant sur ce site
Internet (en espagnol seulement, désolée !) : *https://
www.metrobus.cdmx.gob.mx*

DÉCALAGE HORAIRE

Il y a normalement une heure de différence entre le
Mexique et le Québec et sept heures de différence
avec la France, la Belgique et la Suisse. Quand il est
midi à Mexico, il est déjà treize heures à Montréal et
dix-neuf heures à Paris.

Montréal   Mexico   Paris

192

MONNAIE

La *moneda* mexicaine est le *peso*, qui se divise en 100 *centavos*. Son symbole peut prêter à confusion parce que c'est le même que le dollar : $. Dans les lieux touristiques, les prix sont parfois suivis des lettres MN qui signifient *moneda nacional*.

Il existe des pièces de 1, 2, 5 et 10 pesos. Elles sont bicolores et leur taille augmente avec leur valeur. Les pièces de 20 pesos sont rares. Les centavos sont monochromes et se déclinent en pièces de 5, 10, 20 et 50 centavos. Pour éviter toute confusion, elles sont substantiellement plus petites que les pesos.

Quant aux billets, les plus courants sont ceux de de 20 pesos (bleu), de 50 pesos (rose), de 100 pesos (rouge) et de 200 pesos (brun). La tête de Frida Kahlo orne celui de 500 pesos. Cool ! ☺

ÉLECTRICITÉ

Au Mexique, le courant électrique sur lesquels fonctionnent la plupart des appareils est le 110 volts,

comme au Canada et aux États-Unis, et les prises ont des fiches plates. Les Européens doivent donc se munir d'adaptateurs.

MEXICO

Mexico

Diego Rivera
Mural Museum

Mercado de Artesanías
la Ciudadela

COYOACÁN

Casa Azul

Restaurante Los Girasoles

Catedral Metropolitana

Templo Mayor

Palacio Nacional

N

Zócalo

VACCINATION ET SANTÉ

Aucun vaccin n'est exigé pour le Mexique, mais ceux contre les hépatites A et B, le tétanos, la poliomyélite, la typhoïde et la diphtérie sont hautement recommandés. Attention aux moustiques en plus basse altitude.

L'eau non embouteillée est à éviter à tout prix, ainsi que les glaçons. Toujours vérifier que la bouteille d'eau est bien scellée. Il est aussi préférable de peler les fruits et les légumes et d'éviter la laitue. La diarrhée ou « tourista » est chose courante. Mieux vaut prévoir les médicaments nécessaires et se rendre chez un médecin si elle devait persister plus de 48 heures.

Enfin, partout au Mexique, il faut se méfier du soleil, en altitude comme sur la côte. Un chapeau et des lunettes sont plus qu'utiles tandis que la crème solaire est évidemment indispensable.

VISITER

LE CENTRE HISTORIQUE

• LE ZÓCALO

La Plaza de la Constitución, ou Zócalo, est une des plus grandes places du monde. Les Mexicains aiment bien voir grand, ai-je constaté. ☺ Un immense drapeau mexicain est planté au beau milieu et elle est bordée de magasins, d'hôtels, de restos et de plusieurs monuments. C'est un lieu de rassemblement très fréquenté et beaucoup de commerçants itinérants y offrent leurs produits, alimentaires ou non, à la criée.
Tu aimeras aussi, je crois !

• LA CATEDRAL METROPOLITANA

Construite à l'une des extrémités du Zócalo, la cathédrale de Mexico est d'une grande beauté, à l'intérieur comme à l'extérieur. Songe seulement que sa construction a duré près de deux siècles ! Incroyable, non ? Ils ont eu le temps de la fignoler comme il faut. ☺ Fait à signaler, bien qu'elle ait été construite plusieurs centaines d'années après l'assèchement du lac Texcoco, le sol sous ses fondations était encore instable, ce qui fait qu'elle s'affaisse lentement sous son propre poids. Des travaux majeurs ont été effectués pour stabiliser sa structure et éviter son effondrement, après le terrible tremblement de terre qui a secoué Mexico, en 1985.

• LE PALACIO NACIONAL

Ce palais, qui occupe tout un côté du Zócalo, n'abrite ni prince ni princesse, mais plutôt les bureaux du président du Mexique. Ma déception a vite été balayée lorsque j'ai vu les immenses fresques qu'a réalisées Diego Rivera, dans la cour intérieure. La fresque principale raconte toute l'histoire du Mexique, du dieu Quetzalcóatl, et du monde ancien, jusqu'au Mexique du XXᵉ siècle. C'est une véritable attraction ! Certaines scènes relatent des épisodes dont la violence est inouïe. Heureusement qu'il n'y a pas de son... ☺ Quoi qu'il en soit, cœurs sensibles s'abstenir. L'entrée est gratuite.

• LE TEMPLO MAYOR

Il ne reste malheureusement que très peu de chose de ce temple aztèque qui fut, paraît-il, au cœur de la vie des habitants de Tenochtitlán (rappelle-toi, c'était

le nom de la cité au temps des
Aztèques). J'y ai tout de même
vu des trucs intéressants et je
te conseille fortement d'y effectuer une petite visite.
Tu pourrais par exemple y voir deux têtes de serpents
en pierre au pied de l'escalier principal, un Chac Mool
(une statue de pierre représentant un personnage
allongé qui tient un bol sur son estomac),
et quelques pierres sacrificielles. À l'intérieur du musée attenant, on te présente
une maquette montrant le complexe du
Templo Mayor tel qu'il était à l'arrivée des Espagnols. Il y a aussi
la sculpture d'un guer-
rier d'argile grandeur nature et
une copie d'un panneau formé
de rangées de crânes humains
recouverts de stuc. Brrrr ! ☺

www.templomayor.inah.gob.mx

• LE MUSEO MURAL DIEGO RIVERA

Ce petit musée de deux étages n'est pas sur le Zócalo
mais son intérêt tient au fait qu'il est entièrement
consacré au peintre muraliste (tu sais, l'époux de
Frida Kahlo). Il présente principalement une fresque
en trois parties qui mêle l'histoire du pays et des souvenirs de l'artiste, dont un autoportrait le représentant enfant, avec Frida debout derrière lui. Il est situé
à l'angle de la *calle* Colón et de la Plaza Solidaridad,
dans le centre historique. Enfin, il y a à proximité

un intéressant marché d'artisanat, le Mercado de Artesanías la Ciudadela.

www.museomuraldiegorivera.bellasartes.gob.mx

EN DEHORS DU CENTRE HISTORIQUE

- ### LE BOSQUE DE CHAPULTEPEC ET LE MUSEO NACIONAL DE ANTROPOLOGÍA

Cet immense espace vert est un des lieux de détente privilégiés des Mexicains, en particulier les fins de semaine. Ses sentiers ombragés sont bordés de stands offrant de la barbe à papa, des ballons, des rafraîchissements ou de quoi casser la croûte. Il y a aussi un zoo, un jardin botanique et même un lac avec des canards et des barques en location. ☻ On peut

200

également y voir le Castillo de Chapultepec, autrefois résidence des dirigeants mexicains.

Jouxtant le parc public, le Museo Nacional de Antropología renferme une gigantesque collection mondialement célèbre d'objets datant du Mexique ancien. Il mérite largement qu'on lui consacre quelques heures, dit maman, et il attire des étudiants en anthropologie et en archéologie du monde entier. ☺ Il est situé à l'angle de l'avenue Paseo de la Reforma et de la Calzada Gandhi. Station de métro Chapultepec.

www.mna.inah.gob.mx

• COYOACÁN ET LA CASA AZUL

Si, à l'époque de la conquête espagnole, Coyoacán n'était qu'un village, ce n'est vraiment plus le cas aujourd'hui. Il paraît que le nom lui-même signifiait à l'origine «le lieu des coyotes». Une jolie fontaine, au centre de la Plaza Hidalgo, commémore cette époque. De triste mémoire, c'est ici que Cortés et ses officiers avaient choisi de s'installer après avoir réduit Tenochtitlán à l'état de ruines. C'est aujourd'hui un chic quartier résidentiel à l'ambiance coloniale et à l'architecture remarquable. On y trouve un très joli jardin public, le Jardín Centenario, ainsi qu'un marché d'artisanat local plein de trouvailles à rapporter à la maison.

Mais on visite le quartier principalement pour voir la Casa Azul, la résidence où est née Frida Kahlo et qu'elle a partagée plusieurs années avec Diego Rivera. Un incontournable! Curieuse de nature, j'ai adoré jouer les voyeuses et avoir un aperçu de la vie quotidienne de ce couple mythique. ☺ Meubles, bibelots, déco, chaudrons et autres accessoires de cuisine sont toujours sur place, en plus de nombreux objets personnels. Tu te rends compte?

www.museofridakahlo.org.mx

SUR LES PAS DE FRIDA

Frida Kahlo est une des artistes féminines parmi les plus célèbres du XXᵉ siècle, autant en Amérique qu'en Europe, et son fameux monosourcil est loin d'être seul en cause! ☺ Son courage, son originalité, sa force de caractère et son talent étaient aussi remarquables que sa beauté. Elle a d'ailleurs su relever d'énormes défis. Enfant, elle est d'abord affectée par une maladie qu'on appelle la poliomyélite et qui la laisse boitillante pour le reste de sa vie. Puis, à l'âge de dix-huit ans, elle est victime d'un accident de la circulation qui lui transperce le dos et lui brise la colonne vertébrale, plusieurs côtes, le bassin, la jambe et le pied droit, alors qu'elle se tenait debout dans un bus.

Ces blessures nécessiteront de nombreuses opérations chirurgicales qui lui causeront

d'atroces souffrances, qu'elle endurera sa vie entière. Elle devra d'ailleurs porter en permanence un corset orthopédique très rigide. Cette omniprésente douleur se reflète partout dans son œuvre, essentiellement autobiographique. Fait à signaler, elle a commencé à peindre pour se distraire, alors qu'elle était immobilisée pour plusieurs mois dans un carcan de plâtre. Un miroir placé au-dessus de son lit lui permettait de se prendre elle-même pour modèle.

Ses tableaux avaient ceci de révolutionnaire qu'elle y abordait des sujets tabous pour l'époque, comme la sexualité féminine, la souffrance, l'avortement et les fausses couches, le viol. Peintre autodidacte et femme au puissant caractère, elle s'encombre peu des conventions régissant la vie des femmes de son époque. Née en 1907, elle a vécu la majeure partie de sa vie dans la «Casa Azul», sa maison natale où elle est d'ailleurs décédée à l'âge de quarante-sept ans, en 1954. Cela ne l'a pas empêchée d'épouser deux fois le peintre muraliste Diego Rivera avec qui la relation aura toujours été… orageuse.

En 2002, un film relatant sa vie a été tourné à Hollywood, avec Salma Hayek dans le rôle-titre. Issue d'une famille de la petite bourgeoisie, non seulement Frida a-t-elle activement milité pour les  droits des Indiens du Mexique, des pauvres gens, des paysans et des petits travailleurs, mais elle a aussi fortement revendiqué plus de liberté, d'égalité et d'indépendance pour les femmes, ce qui était plus que remarquable en cette première moitié du XXᵉ siècle, en particulier au Mexique.

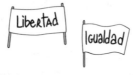

• TEOTIHUACÁN

Plus grand site archéologique du haut plateau mexicain, berceau de la naissance de Quetzalcóatl, le légendaire serpent à plumes, la gigantesque Teotihuacán est tout à fait remarquable, autant par sa taille démesurée que par sa valeur historique. On estime que sa construction remonte à environ deux siècles avant J.-C. Elle n'est pas située à Mexico même, mais plutôt à une cinquantaine de kilomètres du centre. Lorsqu'on est de passage dans la capitale, il faut

ABSOLUMENT prendre la peine de se déplacer pour visiter les vestiges de cette cité bâtie par un peuple inconnu, bien avant l'arrivée des Aztèques. En le découvrant, ceux-ci en ont d'ailleurs fait le berceau de leur mythologie, seize siècles plus tard.

Il y a une foule de choses à découvrir là-bas, dont l'immense Avenue des Morts, au centre du site, et de véritables pyramides. Malade ! (Songe seulement qu'il n'y avait aucune machinerie lourde sur les chantiers de construction de cette époque. Je suis encore bouche bée, rien que d'y penser.) En fait, il y avait beaucoup de bâtiments à l'origine puisqu'il s'agissait d'une grande ville, mais il reste essentiellement deux pyramides en plus des soubassements des nombreuses maisons qui longeaient l'avenue principale.

Ce que j'ai préféré est sans aucun doute de découvrir la pyramide de la Lune, au centre du site, et la pyramide du Soleil, tout au bout. Cette dernière mesure 225 mètres de côté et 65 mètres de haut.

Tu peux l'escalader, comme Gina et moi l'avons fait, mais, attention, l'escalier central se rétrécit au fur et à mesure de la montée et les briques d'argile ont tendance à s'effriter. Étant donné qu'elle est vieille de plus de deux mille ans, ce n'est pas étonnant! Non, mais, blague à part, maintenant qu'il ne s'y pratique plus du tout de sacrifices humains, c'est un endroit incroyable pour *chiller*! ☺ Compte au moins une demi-journée pour la visite.

SUR LES PAS DES PEUPLES INDIGÈNES DU MEXIQUE

Il s'en est fallu de peu que la conquête espagnole n'anéantisse complètement les vestiges de la culture indigène, mais ce n'est pas arrivé, fort heureusement. La culture préhispanique imprègne toujours fortement le Mexique, qu'il s'agisse d'architecture, de cuisine ou de célébrations. De toute l'Amérique, le Mexique est le pays qui compte le plus grand nombre d'Indiens. Mieux, on estime que la population indigène du pays est aujourd'hui encore plus nombreuse qu'au moment de l'arrivée de Cortés. D'un bout à l'autre du pays, ils seraient entre dix et quinze millions, soit dix à quinze pour cent de la population totale du pays! ☹ Encore faut-il s'entendre sur le terme «indigène», puisque le pourcentage de métis est extrêmement élevé. Le fait est que plus d'un Mexicain sur dix parle une autre langue que l'espagnol à la maison, c'est-à-dire qu'il s'identifie à l'un ou l'autre de la soixantaine d'autres groupes linguistiques. Les cinq principales langues indigènes sont le nahuatl (la langue des Aztèques), le maya yuca-tèque, le zapotèque, le mixtèque et l'otomi. Mais il y en a d'autres comme le paipai, le kiliwa ou le lacandon… Je me demande vraiment à quoi peut ressembler le paipai. Pas toi? 😁

UN XOLOITZCUINTLE À LA MAISON?

Le xoloitzcuintle ou « xolo », en abrégé 😊, est aussi communément appelé « chien nu du Mexique ». C'est une race très rare et très ancienne origi-naire du pays des Aztèques. Cette appellation lui viendrait du dieu Xolotl, dont le nom signifie à la fois « chien », « jumeau » ou « esclave », selon le peuple autochtone qui le vénère. Comme son surnom le dit, ce chien est nu à l'exception de très rares poils sur le front et la nuque. Sa taille est

 variable, mais il mesure au maxi-mum cinquante-cinq centimètres de hauteur. Sa peau est lisse et douce. Sa robe va du beige pâle au brun foncé. Il existe aussi une variété poilue, paraît-il, mais je n'ai pas eu l'occasion d'en voir. Ses yeux sont légèrement en amande, ses oreilles sont triangulaires et il

a une longue queue mince. Intelligent et vigilant, c'est un très, très gentil et affectueux compagnon, en particulier pour les enfants. Il est calme et silencieux lorsqu'il vit à l'intérieur et c'est aussi un bon chien de garde. S'il a tendance à se méfier des étrangers, il n'est cependant jamais agressif. Le chien idéal, quoi ! ☺ On dit que le xoloitzcuintle aurait accompagné les peuples nomades venus d'Asie par le détroit de Béring. Si tu as eu l'occasion de voir le film *Coco*, tu as peut-être remarqué que le gentil Dante était un « xolo ».

L'ESPAGNOL POUR LE VOYAGE

L'espagnol parlé au Mexique est similaire à celui parlé en Espagne, à
quelques différences près. Comme
partout en Amérique latine, il est de
mauvais ton de tutoyer les gens. Mieux

¿Cómo está usted?

vaut donc employer le *usted*, plutôt que le *tú* : *¿ Cómo
está usted ?* au lieu de *¿ Cómo estás tú ?* Par conséquent,
on vouvoie aussi à la troisième personne du pluriel : il
faut dire *ustedes* plutôt que *vosotros*. Par exemple, si tu
demandes comment elles vont à plusieurs personnes
à la fois, tu diras : *¿ Cómo están ustedes ?* À l'écrit, tu
auras remarqué qu'il y a deux points d'interrogation
dans une phrase : le premier, à l'envers, en début de
phrase, le second à la fin. Enfin, côté prononciation,
il faut se rappeler que le « s » se prononce en fin de
mot ; que les « r » doivent être roulés ; que le tilde sur
le « ñ » donne le son « gne » ; que le « e » se prononce
« é », que le son « un » se prononce « oune ». Facile ! ☺

FRANÇAIS	ESPAÑOL
Non	*No*
Oui	*Sí*
Salut	*Hola*
Bonjour	*Buenos días*
Bon après-midi	*Buenas tardes*
Bonsoir	*Buenas noches*
Au revoir	*Adiós*
À plus tard	*Hasta luego*
Comment allez-vous ?	*¿ Cómo está usted ?*
Très bien, merci	*Muy bien, gracias*
Comment vous appelez-vous ?	*¿ Cómo se llama usted ?*
Je m'appelle Juliette	*Me llamo Julieta – Mi nombre es Julieta*
Pardon – Je m'excuse	*Perdón – Me disculpe*
Je suis désolée	*Lo siento*
C'est bien	*Está bien*
S'il vous plaît	*Por favor*
Merci beaucoup	*Muchas gracias*
D'accord	*De acuerdo*
Tu	*Tú*
Vous	*Usted*
Le matin	*La mañana*
L'après-midi	*La tarde*
Le soir	*La noche*

Hier	*Ayer*
Aujourd'hui	*Hoy*
Demain	*Mañana*
Ici	*Aquí*
Là	*Allí*
Grand	*Grande / Gran*
Petit – Petite	*Pequeño – Pequeña*
Chaud	*Caliente*
Froid – Froide	*Frío – Fría*
Bon – Bonne	*Bueno – Buena*
Bien	*Bien*
Mauvais – Mauvaise	*Malo – Mala*
Assez	*Suficiente*
Ouvert – Ouverte	*Abierto – Abierta*
Fermé – Fermée	*Cerrado – Cerrada*
Quoi ?	*¿ Qué ?*
Qui ?	*¿ Quien ?*
Quand ?	*¿ Cuándo ?*
Où ?	*¿ Dónde ?*
Pourquoi ?	*¿ Porqué ?*
Combien cela coûte-t-il ?	*¿ Cuánto cuesta eso ?*
Je ne comprends pas	*No entiendo*
Je ne parle pas espagnol	*No hablo español*
Qu'est-ce que c'est ?	*¿ Qué es eso ?*
Pouvez-vous m'aider ?	*¿ Puede ayudarme ?*
J'ai faim	*Tengo hambre*

Je n'ai pas faim	*No tengo hambre*
Où y a-t-il un bon restaurant près d'ici ?	*¿ Dónde hay un buen restaurante cerca de aquí ?*
Savez-vous où est le Gran Casino Hotel ?	*¿ Sabe usted dónde está el Gran Casino Hotel ?*
Pouvez-vous parler plus lentement, s'il vous plaît ?	*¿ Puede hablar más despacio, por favor ?*
Un autobus	*Un bus*
Une voiture	*Un carro* (à la différence de l'Espagne où l'on dit plutôt *un coche*)
Sucre	*Azúcar*
Un verre d'eau	*Un vaso de agua*
Un chocolat chaud	*Un chocolate caliente*
Un – Une	*Uno – Una*
Deux	*Dos*
Trois	*Tres*
Quatre	*Cuatro*
Cinq	*Cinco*
Six	*Seis*
Sept	*Siete*
Huit	*Ocho*
Neuf	*Nueve*
Dix	*Diez*
Vingt	*Veinte*

Trente	*Treinta*
Quarante	*Cuarenta*
Cinquante	*Cincuenta*
Soixante	*Sesenta*
Soixante-dix	*Setenta*
Quatre-vingts	*Ochenta*
Quatre-vingt-dix	*Noventa*
Cent	*Cien*
Mille	*Mil*

Bon voyage ! – *Buen viaje !*

UN PEU D'HISTOIRE

Le Mexique moderne est littéralement le résultat d'un choc entre deux cultures très différentes, deux civilisations qui fusionneront à partir de 1521. Le pays est donc particulièrement riche en histoire et celle-ci est passionnante.

Près de deux mille ans avant Jésus-Christ, des populations quittent l'Asie pour l'Amérique et s'installent ensuite progressivement sur le continent, du nord au sud en passant par le territoire mexicain. C'est l'arrivée des Premières Nations. Là-bas, on les nomme Olmèques, Mayas, Zapotèques, Toltèques et Aztèques, pour n'en nommer que quelques-unes.

La fondation de Mexico, autrefois Tenochtitlán, sur l'île principale du lac de Texcoco (aujourd'hui disparu), remonte à 1325. Eh oui! À cette époque, le lac recouvrait encore entièrement la plaine, et les Aztèques, qu'on appelait les Mexicas, vivaient sur des îles flottantes. Fascinant, non?

En 1519, le conquistador espagnol Hernán Cortés débarque avec ses hommes. En 1521, ils s'emparent de Tenochtitlán et c'est la chute de l'Empire aztèque. Le pays devient une colonie espagnole.

Trois siècles plus tard, un premier soulèvement populaire mène à l'indépendance du pays. Nous sommes en 1821. En 1848, une nouvelle frontière est tracée, une importante partie du territoire étant cédée aux États-Unis, lors de la signature d'un traité mettant fin à la guerre américano-mexicaine.

Le siècle suivant, après que les États-Unis ont étendu leur territoire en empiétant sur celui du Mexique, une révolution nationale mène finalement à l'équilibre et à la stabilité. Une stabilité qui dure, malgré les difficultés sur les plans économique et social qu'affrontent encore les habitants de ce pays magnifique.

CHRONOLOGIE

-2000 av. J.-C. Des groupes de diverses populations quittent successivement l'Asie par le détroit de Béring puis s'installent progressivement sur le continent américain, du nord au sud.

-1500 av. J.-C. Le peuple olmèque s'implante sur le territoire mexicain.

-1000 av. J.-C. Estimation approximative du développement de la civilisation maya, dans la région de la péninsule du Yucatán.

-200 av. J.-C. Fondation estimée de la cité de Teotihuacán près de l'actuelle Mexico.

Vers 650 Chute de Teotihuacán.

Vers 900 Établissement d'un État toltèque.

1325 Date approximative de la fondation de la cité Tenochtitlán (aujourd'hui Mexico) par les Mexicas, sur des îles du lac Texcoco. Début probable de la construction du Templo Mayor à la même époque.

1502 Moctezuma II est empereur des Aztèques.

1519 Le conquistador espagnol Hernán Cortés débarque avec ses hommes sur la côte de Veracruz.

1520 Les Espagnols perdent une première bataille contre les Aztèques. Mort de Moctezuma.

1521 Cortés s'empare de Tenochtitlán. Chute de l'Empire aztèque. Début de la construction du Palacio Nacional sur le site même de l'ancien palais de Moctezuma II.

1525 Début de la construction de la Catedral Metropolitana, sous Cortés.

1525 Mort par pendaison de Cuauhtémoc, le dernier empereur aztèque (celui-ci ayant succédé à son cousin, Moctezuma II).

1531 Une présumée apparition lance le culte de la Vierge de Guadalupe.

1571 Avènement de l'Inquisition espagnole.

1810 Soulèvement populaire après un appel aux armes du père Miguel Hidalgo.

1811 Exécution du père Hidalgo.

1821 Déclaration d'indépendance du Mexique après deux nouveaux soulèvements. (Ouf!)

1848 Signature du traité de Guadalupe Hidalgo mettant fin à une guerre de deux ans avec les États-Unis d'Amérique. Celui-ci établit une toute nouvelle frontière entre les deux pays, le long du fleuve Río Grande.

1864-1867 Occupation française du Mexique sous l'empereur Maximilien.

1886 Naissance de Diego Rivera à Guanajuato.

1907 Naissance de Frida Kahlo à Coyoacán.

1910 Soulèvement national. La révolution mexicaine est lancée par Madero, jeune propriétaire terrien idéaliste.

1913 Assassinat de Madero.

1941-1945 Le Mexique est l'allié des États-Unis pendant la Seconde Guerre mondiale.

1968 Jeux olympiques de Mexico.

1985 En septembre, un terrible tremblement de terre frappe Mexico, tuant 9 000 personnes.

1990 L'écrivain mexicain Octavio Paz reçoit le prix Nobel de littérature.

2019 Oscar du meilleur réalisateur remis à Alfonso Cuarón pour son film *Roma*, dont l'action se situe dans le quartier du même nom de la ville de Mexico.

QUESTIONNAIRE

Tu souhaites te mesurer à moi concernant ta connaissance de la culture et de l'histoire du Mexique ? Allons-y, donc ! Attention, il se peut que certaines questions te demandent un peu de recherche.

1. Lequel de ces écrivains lauréats du prix Nobel de littérature est d'origine mexicaine ?
   a) Mario Vargas Llosa
   b) Alice Monroe
   c) José Saramago
   d) Patrick Modiano
   e) Octavio Paz

2. Quel film tourné au Mexique a valu à son réalisateur mexicain l'Oscar du meilleur réalisateur, en 2019, ainsi qu'une nomination pour l'Oscar du meilleur film ?
   a) *Roma*
   b) *Amores perros*
   c) *Mexicana*
   d) *Jaws*
   e) *Le Parrain*

3. Trouve l'intrus parmi ces hommes.

a) Francisco « Pancho » Villa
b) Fidel Castro
c) Diego Rivera
d) Carlos Santana
e) Alfonso Cuarón

4. Comment appelle-t-on la maison natale de Frida Kahlo?

a) *La Zona Rosa*
b) *La Casa grecque*
c) *La Casa Azul*
d) *La Casa de azúcar*
e) *La Casa de papel*

5. Lequel de ces peuples amérindiens n'a jamais habité le Mexique?

a) Les Mayas
b) Les Aztèques
c) Les Toltèques
d) Les Incas
e) Les Zapotèques

6. Quel est le nom officiel de la place principale de Mexico que l'on appelle communément le Zócalo?

a) Plaza de la Constitución
b) Tenochtitlán
c) Plaza de la Revolución
d) El Templo Mayor
e) Centro Histórico

7. Quelle était la destination de Juliette et Gina avant que leur avion ne soit détourné sur Mexico ?

a) Cancún

b) Playa del Carmen

c) Tulum

d) Acapulco

e) Puerto Vallarta

8. Quel est le titre du film qui a valu à Salma Hayek une nomination aux Oscars dans la catégorie « meilleure actrice » en 2003 ?

a) *El Paseo del Prado*

b) *La callejón*

c) *La epopeya del pueblo mexicano*

d) *Spy Kids 3 : Mission 3D*

e) *Frida*

9. Quel est le nom du militaire qui ordonna la destruction de Tenochtitlán, la cité mexicaine qui précéda l'actuelle Mexico ?

a) James Wolfe

b) Napoléon Bonaparte

c) Hernán Cortés

d) Francisco Pizarro

e) Charles de Gaulle

10. Qui est Diego Rivera?

a) Le leader d'un très populaire groupe de mariachis des années 1950.

b) Le prêtre qui appela les Mexicains aux armes,
en 1810.

c) Le troisième mari de Frida Kahlo.

d) Un très célèbre peintre muraliste.

e) Un très célèbre bandit de grand chemin portant
un large sombrero et montant un cheval appelé
Rossinante.

11. Quel est le mot mexicain pour «marché»?

a) *Machado*

b) *Markada*

c) *Mercado*

d) *Epiciada*

e) *Superettáda*

12. Qu'est-ce qu'un Chac Mool?

a) Un couteau servant aux sacrifices humains.

b) Une coupe servant aux prêtres aztèques à boire
le sang de leurs victimes.

c) Un plat mexicain à base de purée d'avocat qui
peut servir de trempette pour les nachos.

d) Un type de statue servant de pierre sacrificielle
que l'on trouve sur les sites archéologiques du
Mexique.

Réponses
en page 233

Ton carnet de visite

Date: _____   **Météo:** _____

Visites du jour: _____

_____

_____

_____

_____

Avec qui? _____

Tes impressions: _____

_____

_____

_____

_____

_____

_____

_____

_____

_____

_____

_____

Date: _____   **Météo:** _____

Visites du jour: _____

_____

_____

_____

_____

Avec qui? _____

Tes impressions: _____

_____

_____

_____

_____

_____

_____

_____

_____

_____

_____

_____

_____

_____

Date:_____ **Météo:**_____

Visites du jour:_____

_____

_____

_____

_____

Avec qui?_____

Tes impressions:_____

_____

_____

_____

_____

_____

_____

_____

_____

_____

_____

_____

_____

_____

Date:_____ **Météo:**_____

Visites du jour:_____

_____

_____

_____

_____

Avec qui?_____

Tes impressions:_____

_____

_____

_____

_____

_____

_____

_____

_____

_____

_____

_____

_____

Date: _____ **Météo:** _____

Visites du jour: _____
_____
_____
_____
_____

Avec qui? _____

Tes impressions: _____
_____
_____
_____
_____
_____
_____
_____
_____
_____
_____
_____
_____
_____

Date:_____ **Météo:**_____

Visites du jour:_____
_____

_____

_____

_____

Avec qui?_____

Tes impressions:_____

_____

_____

_____

_____

_____

_____

_____

_____

_____

_____

_____

_____

_____

_____

Date:_____ **Météo:**_____

Visites du jour: _____
_____
_____
_____
_____

Avec qui? _____

Tes impressions: _____
_____
_____
_____
_____
_____
_____
_____
_____
_____
_____
_____
_____
_____

Date :_____ **Météo :**_____

Visites du jour :_____
_____
_____
_____
_____

Avec qui ?_____

Tes impressions :_____
_____
_____
_____
_____
_____
_____
_____
_____
_____
_____
_____
_____
_____
_____

RÉPONSES AU QUESTIONNAIRE

1. Lequel de ces écrivains lauréats du prix Nobel de littérature est d'origine mexicaine ?

e) Octavio Paz. Mario Vargas Llosa est d'origine péruvienne, José Saramago est portuguais. Si tu as répondu b) Alice Monroe, ou d) Patrick Modiano, transforme-toi en statue de sel puisque la première est canadienne et le second, français.

2. Quel film tourné au Mexique a valu à son réalisateur mexicain l'Oscar du meilleur réalisateur, en 2019, ainsi qu'une nomination pour l'Oscar du meilleur film ?

a) *Roma*, un film tourné par le réalisateur mexicain Alfonso Cuarón Orozco.

3. Trouve l'intrus parmi ces hommes.

b) Fidel Castro est le seul de ces hommes à ne pas être d'origine mexicaine.

4. Comment appelle-t-on la maison natale de Frida Kahlo ?

c) La Casa Azul, *bien sûr*. La Zona Rosa est le nom d'un fort joli quartier de Mexico tandis que *La casa de papel* est le titre d'une télésérie espagnole très populaire.

5. Lequel de ces peuples amérindiens n'a jamais habité le Mexique?

d) Les Incas. Ceux-ci ont pour origine la Cordillère des Andes.

6. Quel est le nom officiel de la place principale de Mexico que l'on appelle communément le Zócalo?

a) Plaza de la Constitución

7. Quelle était la destination de Juliette et Gina avant que leur avion ne soit détourné sur Mexico?

e) Puerto Vallarta

8. Quel est le titre du film qui a valu à Salma Hayek une nomination aux Oscars dans la catégorie «meilleure actrice» en 2003?

e) *Frida*. En passant, *El Paseo del Prado* est le nom d'une route située à Madrid, en Espagne, tandis que *Epopeya del pueblo mexicano* est le nom donné à la fresque principale de Diego Rivera, à l'intérieur du Palacio Nacional.

9. Quel est le nom du militaire qui ordonna la destruction de Tenochtitlán, la cité mexicaine qui précéda l'actuelle Mexico?

c) Hernán Cortés. Si tu as répondu a) James Wolfe ou e) Charles de Gaulle, tu es vraiment nul(le) en histoire. ☹ Si ton choix s'est plutôt porté sur d) Francisco Pizarro, sache que tu n'étais pas trop loin de la vérité, quoique ce dernier ait plutôt conquis l'Empire inca.

10. Qui est Diego Rivera?

d) Évidemment. Si tu n'as pas choisi cette option, je doute que tu aies réellement lu ce roman. Tu auras compris que l'option c) était un piège, bien que Frida et Diego se soient mariés deux fois plutôt qu'une. ☺ Quant à Rossinante, il s'agissait du cheval de Don Quichotte, le héros d'un roman espagnol datant du Moyen Âge.

11. Quel est le mot mexicain pour «marché»?

c) *Mercado*. Bravo!

12. Qu'est-ce qu'un Chac Mool?

d) Bravo!

REMERCIEMENTS

Un livre réussi est le résultat de la contribution et du travail de plusieurs personnes. J'aimerais remercier tout spécialement mon éditrice Pascale Morin pour son soutien indéfectible, notamment pendant la rédaction de cet opus dont la signification et l'importance sont toutes particulières à mes yeux.

De la même auteure

Juliette à New York, roman, Montréal, Hurtubise, 2014.
Juliette à Barcelone, roman, Montréal, Hurtubise, 2014.
Juliette à La Havane, roman, Montréal, Hurtubise, 2015.
Juliette à Amsterdam, roman, Montréal, Hurtubise, 2015.
Juliette à Paris, roman, Montréal, Hurtubise, 2016.
Juliette à Québec, roman, Montréal, Hurtubise, 2016.
Juliette à Rome, roman, Montréal, Hurtubise, 2017.
Juliette à San Francisco, roman, Montréal, Hurtubise, 2017.
Juliette à Londres, roman, Montréal, Hurtubise, 2018.
Juliette à Hollywood, roman, Montréal, Hurtubise, 2018.
Juliette à Athènes, roman, Montréal, Hurtubise, 2019.
Juliette à Hawaii, roman, Montréal, Hurtubise, 2019.
Juliette à Tokyo, roman, Montréal, Hurtubise, 2020.

Suivez Juliette sur Facebook:
https://www.facebook.com/SerieJuliette

Viens nous rejoindre
/HpourHurtubise
/editions_hurtubise

Achevé d'imprimer en septembre 2020
sur les presses de l'imprimerie Marquis-Gagné
Louiseville, Québec

Imprimé sur papier québécois 100% recyclé